集英社文庫

年下の女友だち

林 真理子

集英社版

年下の女友だち　目次

第一話　七美　9
第二話　かおり　43
第三話　こずえ　75
第四話　葉子と真弓　99
第五話　いずみと美由紀　129
第六話　実和子　159
第七話　沙織　189
第八話　日花里　219

年下の女友だち

第一話

七美

安藤七美《ななみ》は、今どき珍しい古風な女の子である。

大学を出た後、一度も就職せずにお稽古《けいこ》ごとだけで過ごしてきた女というのは、現代において非常に稀有《けう》な存在であろう。そればかりではない。万事に控えめで、他人に惜しみなく好意と手間を尽くす、などという性格は、探そうとしてもなかなか見つからないはずだ。

七美とは九年前、私がほんの気まぐれから始めた茶の湯の師匠のところで知り合った。

このお稽古場は世田谷《せたがや》の高級住宅地にあり、習いに来ているのは金持ちの夫人や娘が多い。彼女たちは身につけているものも大層派手で、ある時など着替えの部屋にバーキンがずらりと並んだことさえある。

私たちの師匠は七十過ぎた未亡人で、昔はさぞかし大きな屋敷だったろうと思われる土地を、息子夫婦と半分に分け、小さなしゃれた家を建てて住んでいた。前の家から移築したという茶室は、ほとんど知識のない私から見てもたいしたもので、今これをつくったら何千万という金がかかるはずだと師匠は自慢したものだ。

そういうことに詳しい生徒の話によると、師匠の亡くなった夫は、とある製薬会社のサラリーマンだったという。東大卒ということで縁が出来たのだが、あまり出世することもなく、この家や高価な茶道具はひとり娘の師匠が親から受け継いだものだそうだ。なんでも師匠の父親は、関西出身の大金持ちで、戦争前から知られたかなりの数奇者《すきしや》だったという。

「だから先生は、いつまでたってもお嬢さま然とした、ちょっと世間知らずのところがあるんだわ」

と、話を聞かせてくれた仲間のひとりは言ったものだ。

といっても、趣味のいい着物を着ていなければ、師匠はただの老女に見える。七十代といっても、都会なら色香の残っている女はいくらでもいるものだけれども、師匠はそうではなかった。背が低いうえに、あまりにも太っているため洋服がまるで似合わない。夏の暑い日など、お稽古着をさっさと脱いで、ワンピース風のものを着る時があったが、袋を被《かぶ》ったような形のあまりの不格好さに、若い生徒などはしきりに笑いを嚙《か》み殺していたものだ。

「本当に年ごとに正座がきつくなって嫌になってしまうわ」

と師匠はよくこぼしたものだ。

「憶《おぼ》えておきなさい。美しい格好を保つのも、お茶の心の大切なことなんですからね」

その師匠が、お茶事《ちゃじ》の姿勢がよいとまずあげるのが七美であった。高校を卒業するまで日舞を習っていたという七美は、何をしていても背筋がまっすぐに伸び、膝《ひざ》に置いた手の形も美しく決まっていた。

こういう和のお稽古に合った容姿というのは確かにあり、彼女はこづくりのすっきりとした顔をしている。東北生まれらしい白く透きとおるような肌に切れ長の目、小さく薄い唇というのは、流行の派手やかな顔立ちの娘たちに混じると、やや淋《さび》し気《げ》に見える時があった。けれども和服を着けた茶会となると、もう七美の独擅場《どくせんじょう》だ。

着なれない着物に、もそもそと裾《すそ》を動かす娘たちに混じり、七美は水際立った様子を見せる。母親の趣味だという生地のよい古典柄の着物をまとい、すっくと立ち上がるさまは、師匠でなくても誰かしらが羨望《せんぼう》の声をあげた。

師匠には、七美以外にもう二人、お気に入りの生徒がいた。彼女たちに共通していることは、いつでも時間と車が自由になったことだ。

これは生徒なら誰でも知っていることであるが、師匠は隣家の長男夫婦とあまり仲がよくない。なんでも土地の分割の際、かなりごたごたしたということだ。だから嫁にあたる長男の妻は、彼女のめんどうをいっさいみない。

師匠は外のお茶会や、何かのパーティーというと、その三人の女を運転手兼秘書として連れていった。かわるがわる誰かひとりが、師匠に指名され、その日一日つき合うことになるのだ。他にも勤めておらず、車を持っている娘は何人かいたが、みんなうまく逃れてしまったのである。

この三人は自然と師匠のお気に入りということになり、よく食事にも連れていってもらっていた。けれども若い娘のことである。次の日曜日にどこかへ連れていけと言われ、一日潰《つぶ》れるのが楽しいはずはない。やがて他の二人が大っぴらに不満を口にし始めた。

「先生はお金を持っていらっしゃらないわけじゃないんだから、ハイヤーやタクシーでも頼めばいいじゃないの」

二人はいつのまにかお稽古自体にもあまり来なくなった。そして残ったのが七美ということになる。

師匠は何かの折によく言ったものだ。

「七美さんは、本当に器量といい、人柄といい、申し分のないお嬢さんだわ」

けれどもまわりの女たちから見ると、七美はいつも貧乏クジを引かされるお人よしの女ということになり、私も同じ意見だった。

口の悪い生徒はこんな風にささやくことがある。

「七美さんって、先生にいつも利用されていて可哀想。先生って、七美さんのこと可愛がっているみたいだけど、あんなにこき使っていながら、縁談ひとつ持ってこないじゃないの」

この短かい物語は、七美に関する結婚の顚末記《てんまつき》である。


私はいつのまにか七美を、妹分として可愛がり始めた。茶のお稽古仲間としては、彼女の方がずっと先輩で、そろそろお茶名《ちゃめい》をいただこうかという腕前である。私は仕事を言いわけに、週に二度の稽古も休みがちになり、外で彼女と会うことが多くなった。

彼女のように従順な娘というものはめったにいるものではない。私は切符がもう一枚余ってしまった急なコンサートやお芝居に、彼女を誘うようになった。彼女はどんな時にも断わらない。そして車で連れていって頂戴《ちょうだい》というと、時間どおりぴったりと紺色のBMWを私の家の前につけてくれた。

私はちょっとしたおいしいものを食べたい時にも七美を誘う。彼女はほっそりした外見からは信じられないほどの食い道楽であった。イタリアンなら、代官山《だいかんやま》に新しく出来たあの店、鮨《すし》ならば銀座のあそこがやっぱりいちばんおいしいとすらすらと口にする。親から月々貰《もら》うたっぷりした仕送りで、七美はかなり贅沢《ぜいたく》な生活をおくれるからだ。見た目も綺《き》麗《れい》で口の肥えた娘と、気軽なランチや夕食をとるというのは楽しいものであった。私は急に予定が空いた時など、すぐに彼女に電話をかけた。便利な、といっては酷《ひど》い言い方であるが、彼女には他人からそう深く考えられたり、気を遣われたりしない何かがあった。可愛がられ、好かれてはいるのだけれども、誰もが彼女を最後の駒《こま》のように扱うところがあるのだ。たとえば誰もが行きたがる新作の芝居の切符がもう一枚ある。知り合いに順々に電話をかけ、もしあの人も駄目だったらと、最後に誘おうとする人間、それが七美なのだ。

稽古仲間のひとりに、金持ちの歯科医の妻がいる。有名な建築家に設計してもらったという家が完成し、新築パーティーをすることになった。ごくこぢんまりとしたものだが、夫と親しくつき合っている俳優や、有名な作家がやってくるという。お稽古仲間をみんなお招きしたら大変なことになるから、竹下さんだけいらしてねと、彼女は私に言った。年齢が高いのと、絵を描く人間ということで、私はまわりの人間から多少気を遣ってもらっている。

「七美さんも来てくれるみたいなの」

彼女は私の了解を取っておこうという風な口ぶりになった。

「うちでこんなパーティーをするってちらっと話したらね、だったら何でもお手伝いさせてくださいって。あの人、万事に気がきくしいい子でしょう。だからちょっと手伝ってもらおうと思ってね」

「待って頂戴」

私は小さく叫んだ。

「手伝ってもらうってどういうことなの。あなたのうちの台所で、お手伝いさん代わりに働けっていうの」

「そ、そんなことはないのよ！」

私の見幕《けんまく》に、彼女はやや吃音《きつおん》じみてくる。

「う、うちには、ちゃんとお手伝いはいるわ。だけどパーティーは、人手が多い方がいいから、七美ちゃんには身内っぽく、ちょっとお手伝いしてもらえたらと思っただけよ」

「そんなのおかしいでしょう」

私は私以外の人間が、七美を軽んじたり、甘く見ていることに耐えられなかった。私も確かに七美を都合よく扱うことがあるけれども、その代償として有名レストランでの食事や、ちょっとしたプレゼントを渡してきた。それなのにこの女は、何ひとつ与えることなく、七美の人のよさにつけ込もうとするのか。

「いい、よく考えなさいよ。このお教室で七美ちゃんは、あなたや私の姉弟子にあたるのよ。いくら若くったって、私たちより上なの。あなた、七美ちゃんのやさしさにつけ込んで、調子よく使おうったってそうはいかないわよ」

私はすぐに七美に言ったものだ。

「いい、あなたはあの人の、部下でも秘書でもないのよ。あなたのように人がいいと、あいう図々しい女は、いくらでもつけ上がってくるのよ。本当に気をつけないと駄目なんだから」

だってぇ、と七美は身をくねらせるようにする。

「私でお役に立つことがあれば、それでいいんですぅ。私、いろいろお手伝いさせていただくのが大好きなんですから……」

私はそれを聞きながら、七美が他人から都合よくあしらわれるのは、この喋《しゃ》べり方が原因ではないかと思い始めた。ひと昔前に〝ぶりっ子〟という言葉が流行《はや》ったが、七美の喋べり方はまさにそれだ。わざとたどたどしく舌をまわしたり、幼なげな言葉を遣ったりすることが多い。私は以前からこれが気になって仕方なかった。

たとえばレストランでメニューを渡される。七美は傍らにいるウェイターがいらつくのがわかるほど、ゆっくりとそれを眺める。

「どーしようかな」

小首を傾《かし》げる。そしてやがて、子どもが「ミルク」ときっぱり言うように、唇をぴっと張って料理名を発音するのだ。

「ねぇ、七美ちゃん、あなた、そういうものの言い方やめなさいよ。あなたの知的な雰囲気に、全然似合わないわよ」

「えー、何がですか」

これも「何がでしゅか」という風に聞こえるのだ。

「ねぇ、いい年をした女が、そういうぶりっ子の声を出すのって、ものすごくみっともないと思うけどな」

「そんな、ひどーい。ぶりっ子だなんて」

本気で抗議してきた。

「私のいったいどこが、ぶりっ子だっていうんですかぁ。私、そんなこと言われたことなんかない」

私は彼女のこうした習癖は、おそらく男によるものだろうと見当をつけた。七美は多分、年上の男とつき合ってきたのだろう。彼らは七美に、贅沢な味を教えると同時に、少女のように振るまうことを要求したのではないだろうか。

私は高校時代の友人を思い出す。彼女は〝トッポちゃん〟というあだ名をつけられていた。昔テレビで流れていたアニメの主人公、「トッポ・ジージョ」とそっくりな、奇妙に愛らしい声をしていたからである。面白い話し方をするコだと人気があったが、わざとらしいことをするなと、クラスの女の子たちに一度吊《つ》るし上げられたことがある。

「私は生まれつき、こういう声をしているのに、ひどいわ」

彼女はしくしく泣き出したが、三年前にクラス会で会った時は、普通の中年女の声になっていた。女の声などというのは、九十九パーセント意志的なものだというのは私の持論である。おそらく七美のこの耳ざわりな口調も、しかるべき男性が現れた時にきっと直るのではないだろうか。

けれども彼女の喋べり方は相変わらずである。いつのまにか七美は、二十代の後半になろうとしていた。

「竹下さん、どなたかいい方をご存知ないでしょうか」

たまに上京してくる七美の母親は、手土産《てみやげ》を持って私のところを訪ねてくることがあった。本職はイラストレーターだが、エッセイを書いたり、テレビに時々出る私のことを、よほど世間が広いと考えているのだろう。

「七美は次女でございますから、家に帰ってこなくてもいいと思っているんですよ。主人は近くに嫁がせたいなんて申しておりますけれども、東京生活を長く続けさせた娘に、田舎《いなか》へ帰ってこい、なんて言うのは可哀想ですからね」

いかにも地方の名流夫人らしい母親の話を聞いていると、どうも仕送りをして娘に東京暮らしを続けさせるのも、良縁を得たいためだということがわかってくる。一度七美の故郷を訪れ、大歓待を受けたことがあるが、東北新幹線の停まる駅からローカル線に乗り換え、二時間近くいったところである。米どころとして知られているが、あたりは老人ばかりになってしまったという、典型的な日本の村だ。七美の家だけが群を抜いて大きく、群を抜いて新しかった。今までの家は古く大きいばかりで、ついに母親が音《ね》を上げたというのだ。市の人からは、

「もう少しすれば、重要文化財の申請をするから」

と説得されたらしいが、そんなことはまっぴらだと、母親がさっさと建築会社を決めてしまったという。

「知ってます？　家を重要文化財なんかにされると、釘《くぎ》一本、勝手に打てなくなってしまうんですよ。そんなことはご免ですよ。親戚中からご先祖さまに顔向け出来ないと言われましたけど、住むのは私たちですからね。床暖房にしてももう極楽ですよ。二度とあんな家に住みたくありません」

などということを、母親はきつい東北訛《なま》りで言うのであった。私は故郷に帰ったとたん、七美の口調にそれがにじむことに少々驚いた。ＢＭＷを乗りまわし、西麻布《にしあざぶ》や青山にいきつけの店があっても、七美はやはり東北の娘なのだなとしみじみ思ったものだ。

「どうか竹下さん、よろしくお願いいたしますよ。七美はご存知のとおり、世間知らずの田舎者ですから、どうか可愛がっていろいろ教えてくださいませ」

母親からは頭を下げられ、やがて季節のものがたびたび届くようになった。私はさらに七美の姉代わりのように振るまうようになり、彼女はますます従順になっていった。

年頃の女たちが多い教室だったので、たえず縁談にまつわる話題があった。中でも最も華やかなものは、景子《けいこ》の結婚だったろう。名前を言えば誰でも知っている、銀座の果物屋の娘である彼女は、見合いで有名な政治家の長男と式を挙げたのである。財務省に勤めている彼は、いずれ選挙に出ると目されていたので、披露宴はそれは盛大なものであった。お茶を習っている仲間も何人か招待され、私たちはその後、ホテルのラウンジでお茶を飲んだ。

「景子ちゃん、やったわね」

まだ未婚のひとりが、ひとりごちるように大きく頷《うなず》く。

「そこいらへんの相手じゃ、絶対に嫌だってずっと言っていたもの」

「背はお父さんに似てあんまり高くなかったけど、他のことは申し分ないような人じゃない」

「景子ちゃん、ずっと頑張ってたものね。お茶を習うのも、本当は好きじゃないけど、釣書《つりがき》に書く時に有利だから来てるんだって、そりゃあ割り切ってたわね」

「ねぇ、ねぇ、前の彼とはうまく別れられたのかしら」

「もちろんよ。私はちゃんとした人と結婚するっていったら、わかったってあっさりしたもんだって笑ってたもの」

「だけどさ、あの彼とは最近まで旅行に出かけたりしてたじゃないの」

「ううん、婚約してからはけじめをつけたって言ってたわよ」

こんな時も、七美は決して話の輪の中には加わらない。女なら誰でもするように、小さな悪意の快楽を味わおうとはしなかった。そうかといって咎《とが》めるような不快な表情になるのでもなく、おっとりと微笑《ほほえ》んで皆の話を聞いているのだ。

私はどうして、七美に良縁が来ないのだろうかと苛立《いらだ》つ気分になる。景子は器量といい、性格といい、七美よりもずっと落ちる。強みといえば東京の金持ちの娘で、あちこちに伝手《つて》があることぐらいだろう。

この三年間、容貌《ようぼう》も悪ければ性格もぱっとしない女たちが、それぞれに相手を見つけて結婚をしていく。それなのに、七美だけが幸運を見つけられない。私は一度結婚に失敗し、あんなものは二度とご免だと思っているけれども、このお茶の教室には別の価値観が絶対的なものとして存在していた。その頑強さが、私には面白くて楽しくてたまらない時がある。

私は仕事柄、それまでやや規格はずれな生き方をしてきた。アウトローを気取るつもりはないけれども、気がつくとあまりにもおんなおんなした欲望を、いつも冷ややかに見ている自分がいた。ところがどうだろう、この「お教室」に通うようになってから、私はきつい花の香《か》がやがて気にならなくなるように、彼女たちの願望や感性を受け入れるようになっていた。いや、受け入れるというのとは少し違うかもしれない。

「若い娘だったら、そういうことを考えるのかもしれない」

というところに落ち着いたのだ。私はこの「お教室」に通うまで、若い女たちがこれほど結婚したがっていることに気づかなかった。しかも理想とする男が、これほどありきたりだとは知らなかった。みんながいっせいに、わかりやすい魅力を持つ男をめがけてレースをしている光景は、爽快《そうかい》ともいっていいくらいで、私はいつのまにかほとんど嫌悪感を抱かなくなった。私の友人たちは、私が何か企みを持って彼女たちとつき合っているのだろうと思っているらしいがそんなことはない。

茶の湯を習う、という私らしくないことを始めてから、いつしか私は全く別の空間を受け入れるようになっていた。そしてそこでの私の役割は、物わかりがよく世故《せこ》にたけた中年女というものだ。少々世間に名を知られているのと、金を持っているのとで、娘たちは私に興味を持つ、そしてそう重大ではない恋の悩みを打ち明けたりするのだ。

けれども七美から、そうしたものを聞いたことがない。彼女は他の女の噂話《うわさばなし》をしないように、決して自分のことも話さない。私は強引に彼女の心の中に割り込んでいこうとする。

「ねぇ、七美ちゃん、私はあなたのお母さんに頼まれているの、ねぇ、どんな人が理想なのかちゃんと言いなさいよ。今、おつき合いしてる人はいるの」

「私なんか、どうでもいいんですぅ」

七美は幼女のように言葉をすぼめる。そのたびに私は、彼女の後ろに年をくった男の影を感じるのである。私のまわりにも何人か若い男がいる。舞台の美術をやっていた頃の芝居の仲間や雑誌の編集者、そしてPR誌に描いている関係で知り合った企業の広報の男たち。が、私は彼らを紹介しようとしてもついあれこれ思案してしまう。師匠はこんなことを言ったことがある。

「うちにはいろんなお嬢さんがいらっしゃるけど、七美さんみたいに贅沢な人はいないわね。あの若さで、あんなに一流のお店ばかり知っていたら、お相手はなかなかいませんよ」

これにはかすかな皮肉と非難が込められている。つまり東京の良家の娘たちでさえ、締めるところは締めている。それがたかだか田舎の金持ちぐらいで、娘にあれほどの金をかけてどうするのだろうかという感想なのだ。私は時々、七美のおごっていることに、驚かされたり、少々腹が立つことがある。たとえば一流と呼ばれる中国料理店に彼女と出かける。若い娘ならば、少々怯《ひる》むような店だ。小腹が空いたくらいだしと、私はソバと三品くらいを注文する。すると彼女はメニューを見るでもなく、こんなことを言うのだ。

「ここはフカひれがおいしいですよね」

老舗《しにせ》の鰻屋《うなぎや》から女友だちと出てくる七美を見かけたこともある。そして私は師匠の、

「お相手はなかなかいませんよ」

という言葉をふっと思い出すのである。

そんな七美に、縁談が進んでいると聞いたのは、私が久しぶりに稽古場へ行った時である。彼女にしては珍しく口が軽くなり、今日は彼のために夕ごはんをつくるのだと楽しげに帰っていったという。

「それって、本当なの」

さっそく電話で問うてみると、

「その、おつき合いっていっても、まだそんなに進んでないんでしゅ」

という、相変わらずのらりくらりした返事だ。相手はキャリアと呼ばれる自治省の官僚で、別に通っている香道の師匠から紹介されたという。

「あら、それはよかったじゃないの。ちゃんとしたところのエリートだったら、お母さんも喜ぶんじゃないの」

こういう言い方をするたびに、私は自分が分別くさい中年女になったような気がするのであるが、それをどこかで楽しんでいるのも事実であった。縁談という他人の人生のカードを覗《のぞ》き見する楽しさを私は知りつつあった。

「景子ちゃんの彼も、経歴は申し分ないけど、いくら何でも背が低過ぎるわね。でもあなたの彼は、そんなことはないでしょう」

「でもね……」

七美は悲しげな声を出した。

「とっても太ってるんですぅ」

「えっ、太っているってどのくらいデブなの」

「百キロぐらいあるんじゃないでしょうか」

「へぇ……」

私も顔負けの食い道楽でありながら、七美はほっそりとした体つきの女である。そんな巨漢の男とは似合うはずはない。いや、案外面白い取り合わせかもしれないと、私はあれこれ想像する。

「いやだあ、竹下さん、そんなデブとつき合ってるなんてって、私のこと軽蔑《けいべつ》しているでしょう」

「そんなことはないわよ、ただどんな人かなって、いろいろ考えているだけ」

「でもまだ何も決まっているわけじゃないんで、ママに言わないでくださいね。心配すると困るから」

わかった、絶対に言わないわと私は約束した。そして私はしばらく海外へ出かけ、帰国後も仕事がたまって二ケ月近くお稽古を休んだ。久しぶりに教室へ行くと、七美の縁談はどうやら破談になったらしいと皆が噂していた。

「そんなことじゃないかと心配していたんですよ」

師匠はなぜか勝ち誇ったように言ったものだ。

「七美さんは、いい性格だけれど、ちょっと頼りないところがあるでしょう。あれで奥さんとしてちゃんとやっていけるだろうかって、男の人は考えてしまいますからねぇ」

この年、「お教室」でのいちばんの話題は、玲子《れいこ》が結婚したことであろう。玲子というのは、金持ちの医者の娘であるが、今どき珍しいほどの容貌をしている。肌理《きめ》の粗い肌に品がない金壺眼《かなつぼまなこ》、鼻の穴が大きく黒く上を向いている。

「あそこのうちはお金があるのに、どうしてお顔を直してさしあげないのかしら」

と師匠が誰かに言っているのを聞いたことがある。こんな男の人がいるのだけれどもと、誰かが縁談めいた世間話を始めた時だ。

「うちでまだおひとりでいるのは、玲子さんに七美さん、恭子《きょうこ》さん、そうそう、元木さんもいらっしゃるわ。玲子さんはおうちも、人柄も申し分ないんですけど、ご面相がね……」

その〝ご面相〟という古風な言葉がやけに耳に残った。そのご面相のよくない玲子が、大恋愛の末に結婚することになった。しかも相手は映像ディレクターという華やかな仕事の男だ。海外の紀行ものを撮っている売れっ子だという。結婚式は、彼の仕事のついでにハワイで挙げることにしたと玲子は言ったものだ。

「でもね、飛行機代払っても、参列してくれるっていう人が何人かいるんですよ。恭子ちゃんや七美ちゃんも来てくれるっていうから嬉《うれ》しくって……」

ああ、また七美はクジにはずれてしまったのだと私は考える。十二月生まれの七美は、その年三十歳になろうとしていた。

やがて私は茶の湯の稽古にあまり行かないようになった。仕事が忙しくなったのと、あの教室自体に飽きてしまったからである。

そんな時に生徒のひとりから電話がかかってきた。私たちの師匠が、家元から名誉師範という称号をいただいたという。それを祝って、ホテルで大きな茶会とパーティーをする。それにぜひ出席してくれというのだ。

「竹下さんがこの頃いらっしゃらないって、みんな淋しがってますよ。七美さんとも会ってないんですか」

「時々留守電に入っているんだけど、なんかご無沙汰《ぶさた》しているのよ。今私、すっごく忙しくって疲れていて、若い人とつき合うパワーがなくなってるみたい」

「やだ〜！　そんなこと言って」

そうおかしなことを言ったつもりもないのに、彼女はいつまでも笑い続けた。

「ねぇ、竹下さんはご存知でしょうけど、七美さん、新しい彼を今度のパーティーに連れてくるみたいですよ」

「へぇー、そうなの」

私は少々不快になる。この頃は疎遠気味だといっても、七美は私の〝妹分〟ということになっている。その私が何も知らないうちに、どうやら新しい縁談が進行していたらしい。

「私もそのことは知らなかったわ。あの人、あんまり自分のことは喋べらないから……。それでどんな人なの」

「それがね……」

彼女はさきほどからの続きのように含み笑いする。もうそれである程度了解してくれと言わんばかりだ。

「かなり年上なんですよ」

「え？　年上ってどのくらいの差なの」

「私もよくわかりませんよ。一回ちらっと会ったきりだから。七美さんをベンツで迎えに来てたんですよ」

ベンツに乗っている男というと、ある程度イメージがわく。日本の若い男は、エリートということと、金があることが必ずしも一致しない。おそらく今度の男は、若くはないが金持ちということなのだろう。あまり七美らしくない選択かもしれないが、まあとにかく特定の男性が出来たのだ。

「竹下さん、今度のパーティーでその人のことを見られますよ。まぁ、ちょっとびっくりされるかもしれないけれど」

「びっくりするってどういうことなの」

私が重ねて問うと、それは見ればわかりますと彼女はさらに意地悪な口調になる。それが気になり、私は既《すで》にあった予定をキャンセルし、パーティーに出席することにした。

茶会といっても、大寄せの立席である。弟子たちは訪問着に身を正しているが、男はタイなしのジャケットといったくだけた格好も多い。妻に無理やり連れてこられた夫たちだ。その中に私は、伊東夫妻の姿を見つけた。伊東文枝《ふみえ》は、弟子を金や社会的立場ではっきりと差別する私たちの師匠が、いちばんに大切にする女だ。日本を代表する印刷会社の会長夫人で、今日も豪華な着物に身を包んでいる。一見あっさりとした模様に見えるが、今の季節にしか着られない水芭蕉《みずばしょう》の見事な手描きだ。私は着物の知識はほとんどないが、絵描きとしてそれがとても腕のいい職人によるものだとすぐにわかった。

「あら、竹下さん、お久しぶりねぇ」

彼女は大金持ちの女にありがちな好奇心で、変わった職業を持つ私のことをとても気に入っているらしい。自分のうちで開く茶会に、何度か誘ってくれたこともある。夫の方は完璧《かんぺき》なビジネスマンで、茶会というといつも逃げまわっているのだが、今日はどうしてもと連れてこられたらしい。私に挨拶すると、あちらで煙草を吸うからと早々にどこかへ行ってしまった。

「竹下さんがいらっしゃらないと、お稽古場が淋しいわ。女の子たちも、竹下さんからいつもいろいろ刺激を貰って、どんなに勉強になるか……。あら、七美さんがいらしたわ。後ろにいるのは噂の彼よ」

七美はお運びをするために、地味な鮫小紋《さめこもん》を着ていた。髪を上げているためいつもより老けてみえる。そしてその後ろに、ごく自然に寄り添う男がいた。

私はなぜ稽古仲間が、「見ればわかります」と、意味深なことを口にしたかただちに了解した。変わった容貌の男だった。背丈もあり、横幅もあるがっちりとした体格で、顎《あご》がひどく前に突き出ている。それが彼をして三流のプロレスラーのように見せていた。普通のスーツではなく、デザイナーもののジャケットに、変わり衿のシャツをつけているのも、男の印象を胡散《うさん》くさいものにしている。変わり衿《えり》というのは、アーチストや建築家といった人種でないと似合わないことになっている。彼のいかついプロレスラーのような風貌にはとっぴ過ぎるのだ。

「平岩さんでしゅ」

七美はいつもより殊勝げな表情になり、睫毛《まつげ》を何度かしばたたかせた。私がどういう評価を下すか不安でたまらないのだ。

「はじめまして」

「竹下さんでしょう。いつも七美から噂を聞いています」

男が七美を呼び捨てにするのも、私には気に入らなかった。初対面の私にこういう席でけじめのないことはなはだしい。男の顔を見る。私と同じぐらい、いや、もう少し上ではなかろうか。四十代の中頃と私は見当をつけた。私の無遠慮な視線をはね返すように男は意味もなく笑い出す。意外なほど歯は白くて綺麗であった。

「いやぁ、僕はお茶会なんて初めてなんですよ。椅子《いす》に座って飲めるお茶会だって言われて来たんですけど、本当にそうなんですかね」

「そうですよ。座ればお抹茶が運ばれてきますから、それを飲めばいいだけなんです」

「なるほど。都踊りの時に舞妓《まいこ》さんが出してくれるあれですな」

「そうですよ。どうってことないですよ」

男の感じはそう悪くなかった。しかしどう見ても品がなさ過ぎる。

私はまだ信じられない思いでいる。七美はこの男を本当に愛したのか。この男と寝たのか。いったいどうして。いったい何を考え、どういう思考と経過をたどってこの男を選んだのだろうか。が、七美は私の視線に耐えかねてか、準備があるといってその場を去った。

「何かの会社の社長さんですってね」

二人の後ろ姿を見送りながら、伊東夫人が言う。

「よく言う青年実業家っていうの？　青年っていうにはちょっとお年を召してるけど、いろんなところに食べ物のお店を持っていたり、貸ビル業をしているみたいよ。こんなご時世なのに、ちゃんと生き残っているんですって。お金はあるみたい。七美さんも案外ああいう方が合ってるんじゃないかしらねぇ……」

茶会の席で、男は四方から浴びせられる視線に臆《おく》することなく、堂々と茶を飲み干した。本当に心得はないらしく、形だけまわすと、ぐいとひと息に飲み干した。その態度に好感は抱いたものの、私はやはりこの男を認めることが出来なかった。七美はまだ三十一歳なのだ。いくらでも選択出来る立場だろう。それなのにどうして見栄《みば》えのよくない四十男と結婚しなくてはならないのだろうか。金か。まさか七美はそういう女ではない。私は信頼を持っている。彼女は確かに贅沢な女ではあるが、それに絶対的な価値を見出すタイプではなかった。私は彼女の清楚《せいそ》な部分を充分に知っているつもりである。

私はその夜電話で彼女をなじった。そうせずにはいられなかったのだ。

「ねぇ、あのおじさん、何なの」

「そのぅ、ボーイフレンドですぅ」

「幾つなのかしら」

「四十八歳、だったと思います」

「ええ！　冗談でしょ」

「本当に年をとってますよねえ……」

他人事《ひとごと》のように言いながらも、口の中に飴玉《あめだま》を含んでいるような甘さがあった。

「そうなるとバツイチよね」

「そうです」

「まさか本気じゃないでしょ」

「わかりません」

「いったいどうやって知り合ったのよ」

七美はぽつりぽつりと話し始めた。友人の上司が男のゴルフ仲間で、一緒に飲んだことがきっかけだという。

「お母さんには話したの」

「まだです」

「きっと反対すると思うわよ。バツイチで四十八歳のおっさんなんか」

「でしょうね……」

私は七美ののらりくらりとした口調に、次第に腹が立ってきた。自分の恋人をこれだけなされているのだ。怒りか何かの感情を見せるのが普通だろう。彼女は私に同調しているようなふりさえ見せる。それが私におもねっているためではなく、男への愛情によるものだと思えてきた。七美はどこか諦《あきら》め、悟っているようなところがある。しかし諦めというのも、男への愛情のひとつの形である。私は仕方ないのねとつぶやいた。

「もうそういう風になったんならね」

「そういう風って、どういうことですか」

またぶりっ子してと、私は苛立ってくる。

「あのおじさんと結婚するんでしょ」

「それは、しないと思いますけど」

「あら、そうなの。じゃ、あなたはただあのおじさんに弄《もてあそ》ばれているだけなのね。四十男におもちゃにされて嬉しいの。あのおじさん、若いコの体が目的ってわけね」

どうしてこんな言葉が次々と出てくるのか。私は次第に加虐的な気分になってくる。それというのも、七美が私の思うように反応してこないからだ。愛する男を庇《かば》うようにも見えない。彼女は私に、もっと悪口を言ってもらいたいようにさえ思えるのだ。

「七美ちゃん、あなたもっといい人が現れるはずよ。何もあんなおじさんに決めることはないのよ、わかるでしょ」

「わかりましゅ、よく考えときます」

幼女のようにあどけなく七美は言った。


あれから三年たった。七美はまだ結婚していない。これにはさまざまな説があった。いちばん有力なのは、七美の両親の反対説であろう。どうかやめて欲しいと母親が泣いて頼んだというが、これはいかにもありそうな話だ。もうひとつは、七美がまだ決心がつかないという説。そして最後に、男の方に実は結婚する意思がなく、七美はずっといいように扱われているという説だ。稽古にほとんど行かなくなった私に、かつての仲間が情報をもたらしてくれる。私は七美に会うたびに尋ねるようになった。

「ねぇ、あのおじさんと結婚するの」

「さぁ、わかりません」

「おじさんはプロポーズしたかどうかって聞いてるのよ」

「さぁ、どうなんでしょう……」

「何を呑気《のんき》なこと言ってるのよ」

あなたのために言っているのよと私は怒鳴る。

「もう五十になるおじさんが、若い娘とつき合って責任とらないってどういうことなのよ」

七美は淋しげに微笑む。その口元に長い皺《しわ》が刻まれているのがわかった。肌理細かい肌だから目立つのだ。七美はもう三十四歳になっていた。

そしていつのまにか、前の二つの説は完全に消滅していった。いくら何でもこのような年になった娘に、親の反対もないだろうというのだ。どんなに頑固な親でも、貰ってもらうだけでも感謝するに違いない。同じように七美の方ももう諦めているだろう。四年も待ったけれども、やはり他の男は現れなかったのだ。もういいかげん心を決めただろう。

残るのは男がプロポーズしていないという説だが、これがいちばん正しいかもしれない。一度結婚に失敗した彼は、二度とする気にはならず、ましてや七美では妻にするのは不安である。年下の愛人としてつき合っているうち、ずるずると時間がたってしまった。彼は今とても困惑しているのだが、容赦なく時間だけが過ぎていくという事態である。

ところがこの不名誉な説が皆に定着すると思われた時、思わぬ変化が起こった。七美が突然男と暮らし始めたのだ。年内には入籍するという報告のために、彼女は私のところへやってきた。玄関に現れた彼女を見て、私は思わず大声で叫んだ。

「どうしたのよ、いったい」

もともときゃしゃな七美だったが、その痩《や》せ方は尋常ではなかった。ワンピースの胸元から、あばら骨が見えていて、肘《ひじ》のところはボールをはめ込んだように骨の形が現れていた。

「ずっと寝込んでいたんです」

今年の春から、原因不明の湿疹《しっしん》と熱に悩まされるようになった。脂《あぶら》っこいものを食べると、次の日体をかきむしるような湿疹に苦しめられ発熱する。幾つもの病院へ行き、徹底的に検査をしたが悪いところは何もないという。

「もう西洋医学では治せないかもと言われて、今はハリに通っています。ずっと寝たり起きたりの生活が続いて、彼には心配かけました」

「あのおじさん、やさしかったんだ」

「ええ、ものすごくやさしいでしゅ。心配して病院にも従《つ》いてきてくれて……」

私はこれでよかったのかもしれないと思った。

「いい人らしくて何よりよね。だけど披露宴はしないんでしょ」

「えぇ、籍を入れるだけにしました。私ももうこんな年ですから、今さらウエディングドレスを着るわけにもいかないし……」

痩せこけた七美は確かに年よりも上に見え、白いドレスがあまり似合いそうにも見えなかった。私はふと、すっかり若さと魅力を失ないつつある七美に、あの男は今も愛情を抱いているのだと嬉しい思いになる。やはり彼女はあの男と結ばれるべき運命だったのだろう。

「よかったね。七美もやっと幸せになるのね」

見送って帰ってきて、私は秘書に言った。私の秘書は四十過ぎた独身の女である。

「そうですかね。私は可哀想で見てられませんでした」

「どうして。彼女はやっと結婚出来るのよ。幸せになれるのよ」

「竹下さん、わからないんですか。あの湿疹は、七美さんの心の表れなんですよ。七美さんはやっぱり、皆に羨《うらやま》しがられる結婚をしたかったんです。だけど年になってあのおじさんと結婚するしかなかった。そんな思いが原因不明の病気になって出てきてるんですよ」

そんな意地の悪いこと言うもんじゃないわよとたしなめようとして私は息を呑《の》んだ。秘書の目が暗い光を放って、七美の帰った方に向けられていたからである。

第二話

かおり

金持ちの娘というのは幸せなのだろうか。もちろん幸せに違いない。男と違い親というのは、無制限に見返りもなく、ふんだんに金と愛情を与え続けてくれるものである。そして今の世の中、ちょっとした幸福というものはたいてい金で手に入ることになっているから、金持ちの娘が幸せにならない方がおかしいのだ。ところが八坂《やさか》かおりの場合は、どうみても幸福そうには見えない。それは彼女がいつも男のことで悩んでいるからである。そしてその男とうまくいかなくなる時、彼女はいつもつぶやく、

――あの人って、結局はお金がめあてだったんじゃないかしら――。

私は問うてみる。それじゃ男に何かねだられたことがあるの。金を貸したりしたことがあるの。いいえ、そんなことはないわとかおりは答える。ただそんな気がするだけよ。

私ははっきり言ったことがある。

「あなたの男の選び方が、根本的に間違っているんじゃないかって私は思うけどね」

かおりは美しい男でなければ、決して愛せないと断言する。それも世の中で言う、ハンサムや美男子といったレベルではない。彼女が好きなのは、俳優やモデルといった、自分でもそのことを熟知し、職業として使わずにはいられないほどの美貌《びぼう》の持ち主でなければ駄目なのだ。

かおりと知り合ったのは三年ほど前になる。麻布に住む同業者のところへ遊びに出かけた。彼女はわれわれの中でも、稼ぎ高が群を抜く売れっ子だ。イラストレーターの原稿料などタカがしれている。夜を徹して丁寧にカットを描いても、それこそ唖然《あぜん》とするような値段だ。ところが彼女の描いたイラストは、化粧品会社のCMキャラクターとなり、まるで売れっ子女優のような稼ぎをあげた。彼女は自分で「あぶく銭」と呼ぶ金でさっそく高級マンションに引越しを決めたのだ。昔から麻布に住むことが夢だったという彼女の新居は、麻布十番の裏手の坂をあがったところにある。古いが、金をかけた低層マンションだ。昭和五十年代の建物だそうで、まわりの樹木が気持ちよく生長していて素敵な陰をつくっていた。私は酒好きの彼女のためにワインを二本持っていき、せっかくだからもう一人呼ぼうということでやってきたのがかおりだったのである。

「うちの大家さんよ」

彼女はかおりを紹介した。

「いえ、そんなことはありません。うちの両親がここのオーナーで、たまたま一室に住んでいるだけなんです」

イラストレーターの友人は、かおりが帰った後でこんな風に説明したものだ。地方には時々とんでもない金持ちがいるものだけれどもかおりの家がそうだ。もともとは四国の方で酒づくりをしていたらしいのだが、昭和のはじめから徐々に倉庫会社もやるようになった。これが大あたりして、あちらでは八坂といえば知らない者がいないほどの金持ちらしい。この南麻布のマンションも、昔は東京の別宅があったところだという。かおりは、大阪のあまり有名でない大学を出て、アメリカにしばらく留学していた。今はフリーランスのガイドや通訳をしているのだが、もとより働く必要など全くないお嬢さまだ。気が向いた時だけ仕事をして、後はたいてい家にいるという。

「家にいて何をしているの」

私は尋ねた。

「それがね、毎日編み物ばっかりしているっていうから驚いちゃうじゃないの」

彼女はそれこそプロ級の腕前で、マフラーやセーターなどの複雑な編み込みも難なくこなしてしまうという。そういえばと、私はかおりのいささか地味な印象を思い浮かべた。大金持ちの娘らしい華やかさや驕慢《きょうまん》さがまるでなかった。私の知っている東京の金持ちの娘たちは、驚くほどタイプが似かよっている。一分の隙《すき》もなくブロウされた艶々《つやつや》とした髪と、手入れのいきとどいた肌。かなり濃い化粧をしているが、彼女たちが水商売の女たちとあきらかに違うのは、無神経さと紙ひと重の態度と、バッグの大きさだろう。クラブやバーに勤める女たちというのは、普段の通勤の時にバーキンなどは持たないものである。が、金持ちの娘たちというのは、いつも不似合いなほど大きな高級ブランドのバッグを持ち歩く。

かおりと二度めに会ったのは、ナショナル麻布スーパーマーケットであった。彼女はジーンズに革のジャケットといういでたちであったが、左手にベージュのバーキンを持っていて、やはり金持ちの娘なのだと私は何やらおかしくなった。

私たちはそのスーパーを出て、広尾の駅前のカフェでお茶を飲んだ。彼女に編み物のことを尋ねると、一度見て欲しいと言い出した。

「私、この頃、配色に自信がないんですよ。前だったらこの色にこの色を組み合わせようと、いろんなことがすらすら出てきたのに、最近は本当に悩んでしまうんです。一度私の編んだものを見て、いろいろアドバイスしてくれませんか」

こういう図々しさも、いかにも金持ちの娘らしかった。勤めた経験のある女なら、プロにものを頼むということがどういうことかちゃんと知っている。それでも私が、そのまま彼女の部屋に行くことを同意したのは、友人の言う「とんでもない金持ち、信じられないぐらいの金持ち」の娘が、どういう部屋に住んでいるのか興味を持ったからである。ところが彼女の部屋は、私の予想に反して実に素っ気ないものであった。広さも友人の部屋の半分ほどで、

「管理人さんが今みたいに通いじゃなくて、住み込みだった頃に使ってたみたいですよ」

と言う。きちんとベッドカバーのかかった寝室兼リビングルームと、あとはダイニングルームがあるだけだ。とはいうものの洋服の収納のために一階のトランクルームを二つ使っているということで、そのあたりはやはりオーナーの娘の特権であった。見わたすとリビングルームの隅の棚に積まれてある色とりどりの毛糸玉が、若い娘の部屋らしい華やぎをかもし出していた。

「竹下さん、このセーターを見てくれませんか」

彼女が私の目の前に差し出したのは、男もののセーターであった。そういうことには全くうとい私であるが、かなりむずかしい手法を駆使したものだということがひと目でわかった。イタリアにミッソーニという有名なニットメーカーがある。「色の魔術師」と呼ばれ、さまざまな複雑な色を組み合わせているが、彼女の編んでいるものもあれと似ていた。橙《だいだい》、紫、茶、グレイと何色も使い、細かく編みながら微妙な色目を出しているのだ。

もちろんミッソーニほどの洗練はないけれど、このままどこかのショーウインドウに飾っても遜色《そんしょく》はないほどよく出来ていた。

「この一ケ月間は、ずうっとこのセーターにかかりきりでした」

かおりはセーターを高く掲げた。そこには二本の編み棒が、大きく×印を描きながら突き刺さっていた。

「このセーターは、彼に着てもらうつもりなんです」

「そうでしょうね」

私は微笑《ほほえ》んだ。かおりの正確な年齢はわからないけれど、おそらく二十代の後半といったところだろう。セーターを編んで恋人に贈るという行為をするにはややトウが立っている年齢であるが、その心根を愛らしいと思った。

「このセーター、とてもよく出来てると思うわよ。グレイや紫の組み合わせって、彩度を間違えると失敗することがあるけど、これはとってもよく出来ているわ。流行の配色だから、彼もきっと喜ぶんじゃないかしら」

「私の彼、柳原英志《やなぎはらえいじ》なんです」

彼女は唐突にその名を出した。柳原の名は私も知っている。人気のある二枚目俳優だ。デビューしたての頃は映画やテレビドラマで主役を張っていたものであるが、最近は傍《わき》にまわることも多い。しかしそれがかえって彼の地位を安定したものにしていて、柳原英志というと都会派の渋い男の代名詞のように言う人もいる。

私はどう答えようかとしばらく言葉を探した。かおりの口調がもっと得意気なものだったら、私もかすかな毒を密《ひそ》かに込めながら、驚嘆や羨望《せんぼう》の声をあげてもよかった。けれどもかおりが、その二枚目俳優の名を発音する息はあまりにも淡々としていて、私は一瞬、彼女が妄想を抱いているのではないかと思ったほどだ。会って二回めの私に、こうしたことを打ち明ける彼女の真意も計りかねたのだ。

「あら、本当、素敵ね」

私はやっと声をあげたが、それがいかにも白々しかったので、あわててこうつけ加えた。

「あんなハンサムとつき合えるなんて、もう最高でしょう」

「でも、つらいことが多いですよ」

かおりは目を伏せた。そうすると彼女の睫毛《まつげ》がとても長いことに気づく。本当なのかもしれない。俳優といわれる人種の中には、同業の美しい女にはあまり興味を示さず、普通の女とつき合うこと、しかも上流階級の娘にステータスを見出す男がかなりいるものだ。

私は柳原の顔をちらっと思い出す。大きな二重の目や、男らしさと甘さとが同居する男の唇の美しさというのは、いかにも計算高さが宿りそうであるが、それはあまりにも意地の悪い見方かもしれなかった。

「本当につらいことがいっぱい……」

かおりはもう一度繰り返した。

「あの人、私をよく運転手代わりに使うんです。六本木で飲んでるからすぐに迎えに来いとか言われて、夜中でもすぐ行かなきゃいけません。このあいだは突然箱根まで連れていけって言われて、仕事をキャンセルしなくちゃならなくなりました」

私はそれから二時間近く、彼女の惚気《のろけ》とも愚痴ともつかない話を聞くことになった。こういう場合、年上の女としてアドバイスしてやることはひとつしかない。こうした〝道ならぬ恋〟をしている女には、こう言ってやれば安心するのだ。

「でもね、あれだけカッコいい男とつき合うっていうことは、それなりのリスクがあるのよ。それが嫌だったら普通の男とつき合うことね」

「それはわかっているんですけど、私は昔から綺麗な男の人じゃないとどうしても駄目なんです」

かおりはまるで自分の難病を打ち明けるように眉を寄せた。

「私は自分に自信がなくて、ずうっとコンプレックスを抱いているんです。だから男の人は顔だと思ってるんです。他のことはどうでもいいけれど、とにかくハンサムがいいんです」

まるで悩みごとの相談例としてあげられるようなこの告白はとても不自然であった。私はかおりの顔に思わず目をやる。確かに目をひくような美人ではない。が、劣等感を持つレベルではなかった。涼やかな目と締まった口元は、品がいいと表現される類《たぐい》のものだろう。今日のような休日にぶらりと歩く格好ではなく、きちんと化粧をしスーツを着れば綺麗なお嬢さんと言われるに違いない。

「どうして、あなたがコンプレックスを持たなきゃいけないの？」

私は大げさに反応する。

「かおりさんは少し間違っていると思うわ。自分を魅力的でないって思い込んで、追い込んでいって、そしてわざわざ苦しむような相手を選ぶ。そういうのっていちばんよくないと思うけれどもね」

知り合ったばかりの相手に少しきつ過ぎる言い方だが仕方ない。おそらくかおりが欲しがっているのは、こうした強い言葉なのだ。私にも経験があるが、若い女というのは否定してもらいたいがために、自分をさげすむものである。ところがかおりは、私のそうした誘いにはのってこなかった。

「いいえ、本当にそうなんです。私は子どもの頃から可愛いって言われたことがないんです。だから美しい男の人っていうのは、それだけで価値があるって思うんですよね」

「そんなことはないでしょう。私もそんなに知っているわけではないけれど、美男子っていうのは例外なくナルシストよね。それっていうのは女とはまるで違うのよ。女のナルシシズムは必要悪のようなところがあるけど、男のそれは手がつけられないわ」

「そうでしょうか。私はナルシストでもいい。コンプレックスを持っていないっていうのは、それだけで人間のすごい美徳という感じがします」

これはもう水掛け論というものであった。かおりもそのことがわかったのだろう、話を途中でやめて紅茶を淹《い》れてくれた。紅茶は大層おいしく、添えられたクッキーも、広尾の名のある店のものであった。かおりはおそらく美食家に違いない。それも豊かな家庭で身についた由緒正しきものだ。そうした娘が、まるで悪食《あくじき》のように美しいだけが取り柄のような男を選んでいく。その心の仕組みは、本当にかおりのコンプレックスなのだろうか。

それは言いわけといおうか、世間を取り繕《つくろ》うもののような気がして仕方なかった。

「ねぇ、竹下さん、このセーターが編み上がったら、英志はこれを着てテレビに出てくれるかしら。

再び唐突にかおりは言った。

「あの人、気取り屋だからあまりトーク番組に出なかったんだけれど、今度やるんですって。ラフな感じにしたいから、スタイリストに頼まないでこのセーターを着るって……」

私はテレビや雑誌で見たことのある男の顔の下に、このセーターをあてはめようとしたがどうしてもうまくいかなかった。彼はブランドもののジャケットやスーツが似合いこそすれ、手づくりのセーターなど着るタイプには見えなかった。そして私はそのことを口にした。なぜだかわからないが、私は彼に対して反感を抱き始めていた。彼のような典型的な芸能人の男が、こうしたシロウトの女とつき合っている。そのことが許せないような気がするのだ。美しい俳優と普通の娘とが、どうして五分五分の関係を持てるだろう。そんなことが起こり得るのは、男の方が結婚するほど強い愛情を女に持っている時だけだ。しかし彼の場合はどうやらそうではないらしい。

「今どき男にプレゼントするのに、手編みのセーターなんて古くさいのよ。喜ぶ男も中にはいるらしいけど、まず九十パーセントの男は喜ばないわよね」

「そうでしょうか」

「そうよ。女の思いが籠《こ》もっているみたいで嫌、っていうわよね。まあ、つまるところは野暮ったくて、とても着る気になれないっていうところじゃないかしら」

「でも彼は、私の編んだものを気に入ってくれてるんですよ。色の感じがしゃれているって」

「じゃ、今度彼がテレビに本当に着てくるか見てみるわ。私はあの人が、手編みのセーターを着てテレビに出てくるようなタイプじゃないと思うんだけど……」

かおりは口惜《くや》しそうに唇をゆがめた。まるで私が若い女を苛《いじ》めているようではないか。が、仕方ない。私を部屋に誘い、こういうことを言わせているのはかおり自身なのだ。自分の代わりに、こうした否定の言葉を次々に私に言わせたいのである。やがてかおりはこう問うてきた。

「竹下さん、もし彼が私の編んだセーターを着て、テレビに出てきたらどうしますか」

おかしな話だ。私はこうした賭《か》けに参加させられる義理などまるでないのだから。けれども私は言った。

「何かおごるわ。うんとおいしいイタリアンをね」

「じゃ、私が負けたら竹下さんに、とびきりのセーターを編んであげます」

「何か私が損するみたい」

「ひどいわ」

私たちは笑い声をあげ、この瞬間に私はかおりのことが気に入った。よくわからぬところがあるが、純で面白い娘である。それに本音を言えば、私は彼女がいつか気づく時を見たいと思ったのだ。都会のある場所にいる女の子たちは、有名人と知り合うチャンスに恵まれることがある。そして彼らと結婚することを夢みるのだが、そんなことは全くのおとぎ話だ。時々食事やベッドに誘われる、女たちのひとりに加えられただけなのだ。こうした夢から醒《さ》めた時の、若い女の表情を見たいと思った。失恋の挫折《ざせつ》や絶望は、普通の男の時よりも大きいのだろうか。彼とつき合ったことが、どんな風な思い出や妄想に変わるのか。私はそれを見たかった。

二週間後、かおりから電話がかかってきた。

「竹下さん、昨夜のトーク番組、見てくれましたか」

「ごめんなさい、うっかりしてたわ」

かおりがあまりにも落ち着き払っているので、彼女が賭けに勝ったのかと思ったほどだ。

「あの人、ヴェルサーチのジャケットを着てました」

かおりは語り始める。あれはもう彼の意思表示としか思えない。あれほど固く約束したのにそれを反故《ほご》にするというのは、私に意地悪いことをしたかったからだ。あれを見て、やっと決心がついた。

「もう会わないようにします」

〝別れる〟という言葉を遣わないのは立派であった。たいていの女はこういう場合、別れると口にするが、そこまで相手の心が熟していなかったことに気づいていない。あるいは見栄《みえ》から気づかないふりをする。

しかしそれにしても、かおりのこの淡々とした口調はどうしたことなのだろうか。冷静さを装っても、失恋を告げる時の女の声は、もっととげとげしくなっている。

「イタリアンをおごるわよ」

私は言った。

「おいしいワインでもじゃんじゃん飲みましょうよ。今だから言うけど、あなたのセーターはなかなかのものよ。着る気もない男に贈ることはないわ」

ありがとうとかおりは答えた。

とはいうものの、彼女は本当にあの男と別れられるのかとそれからしばらくは疑っていた。どれほどつらいめに遭っても、美しい男、しかも有名な芸能人とつき合っているという誇らしさはかなりのものだろう。私には淡泊な言い方をしているが、もしかするとあれは照れ隠しで内に深い執着を持っているのかもしれない。

けれどもある朝、ワイドショーのナレーションが柳原の名前をけたたましく叫んだ。彼が婚約を発表したというのである。相手はもちろんかおりではない。長年交際を続けていたスチュワーデスだという。あまりにもありふれた選択だったので、私はふふっと笑い出してしまった。笑いながらかおりはさぞかし傷ついているだろうと想像した。相手が女優やタレントというのなら、まだ彼女の矜持《きょうじ》は保たれるだろう。けれども男が選んだのはかおりと同じようにシロウトの女である。画面はスポーツ紙に載った写真を映し出したが、柳原の傍《そば》にいる女は、私たちがイメージするスチュワーデスそのままであった。かなり綺麗な女であかぬけている。メイクのうまさもタレントといって通りそうだ。少女の頃から女としておいしそうなところを味わいつくしてきた女の、無邪気な美しさに溢《あふ》れていた。

その夜、近くのファミリーレストランで会ったかおりは、今まででいちばん素直な姿を見せた。彼女は生ビールの小を飲み干すというのでもなく、適当な速度で喉《のど》に流し込む。

「あの人が私に近づいてきたのは、私の名前に魅《ひ》かれていたのかもしれません」

柳原は徳島の出身だから、八坂の名前を知らないはずはないというのだ。

「あの人レベルの芸能人だと、案外お金は持っていないんですよ。今はＣＭにも出ていないし、そんなにお金は入ってこないんです。ですけれどいいマンションに住んですごい車に乗ってなきゃならない。だから私みたいに金持ちの娘は、なんか得になると思っていたんでしょう」

こういう言葉は、出来るだけ強く打ち消してやらなくてはいけなかった。

「でもあの男が、あなたに何かねだったわけでもないんでしょう。お金を貸してくれっていったの？」

「いいえ、そんなことはありません。でも私にはわかるんです。私は八坂の苗字《みようじ》がなくなったら、何の魅力もない女なんです」

私は奇妙な迷いを持つ。若い女が、自分は不器量だから美しい男しか愛せないのだという劣等感と、自分が金持ちの娘だから本当に愛してくれる男がいないのだという劣等感とでは、いったいどちらが健全なのだろうか。私は前者のような気がする。

そしてしばらくかおりからの連絡が途絶えた。私もややこしい仕事が入ってきたので、そう気にとめていたわけではない。たまに柳原の顔をテレビで見た折、かおりのことを思い出す程度だ。日曜日の朝のトーク番組で、柳原はフィアンセのことをさんざん惚気《のろけ》て喋《しや》べった。

「彼女はものすごく勘が鋭いんですよ。僕がちょっと他の女の子の番号を携帯に入れようものなら、いつの間にか消されてしまいます」

それなら結婚しても浮気なんか絶対に無理ですね、仔犬《こいぬ》のように太った女性タレントがからかった。

「その時はその時で別の知恵が出てくるかもしれませんね。いやあ、こんなことを彼女が聞いたら大変だ」

この男は美男子と呼ばれる人間の欠点をみんな持っている。安っぽいナルシシズムとそれに付随する幾つかのことだ。頭のいい男だったら、それを上手に隠すところを、柳原はあからさまに見せていた。けれども私は、かおりを決して愚かだとは思えない。精神が空虚な女を、その美しさゆえに愛する男はいくらでもいる。女がその反対のことを出来ないわけがなかった。精神が立派だからといって、人はその人間を愛するとは限らない。つまり世の中には柳原に心を寄せる女がいくらでもいて、それは全く不思議でも何でもないということなのだ。

金曜日の夜、私の自宅の電話が鳴った。仕事中は留守電にしていることが多い。すると今度は携帯の方にかかってきた。かおりからであった。

「久しぶりね」

「本当にご無沙汰《ぶさた》しています」

いつものように抑揚のない喋べり方であるが、かおりの声は明るかった。母親と二人でしばらくヨーロッパの方へ行ってきたという。いかにも金持ちの娘らしい解決の仕方だと私は安堵《あんど》した。

「それで母親に竹下さんのことを話したら、ぜひお食事をご一緒したいっていってるんですけれども、ご都合はいかがでしょうか」

自分のマンションだというのに、母親は決して娘の部屋に泊まらない。東京で常宿にしているのは帝国ホテルで、そこの中華料理はどうかという。今、仕事がたて込んでいるのであさってなら時間がつくれると私は言った。

「うちの母は暇だから、東京で時差を直すなんて言ってます。たぶんこの週末はずっといるんじゃないかしら」

私はかおりを紹介してくれた友人のいうところの、「信じられないぐらいの金持ち」の女にぜひ会ってみたいと思った。ヨーロッパへ買物旅行に出かけたというのならば、さぞかし高級ブランドの服に身を包んでいるだろう。肥満との戦いの日々の末、やっと小康状態を保っている体にシャネルやヴァレンティノのスーツ、そして娘の持っているものよりも高価なエルメスのバッグ……といった中年女を私は想像した。

ところがその日、中華レストランに現れたのは和服姿の女であった。あの生地は紬《つむぎ》というのだろうか、着物に詳しくない私にはよくわからないが、訪問着などに使うてれてれとした光る絹ではなく、ざらついた素朴な布だった。けれども光る絹よりもはるかに高価なものだとわかる、そんな着物だ。白っぽい着物に柿色《かきいろ》の帯を締め、私を見て立ち上がるかおりの母は実に美人であった。今どき着物姿というだけでも珍しいから、隣りのテーブルの男たちがちらちらとこちらに視線を送ってくるのがわかった。場所柄、新橋《しんばし》の女性を見かけることもあるだろうが、水商売でないのはひと目でわかる。なら着物姿が板についたあの美しい女はどういう素性だろうかと考えているのだ。引退した映画女優に会ったことがあるがよく似ていた。美人という養分が年月をかけて体中にしみわたり、やがて静かに発酵を遂げているという感じだ。少々見え始める老いと翳《かげ》りがその発酵をエレガントなものにしていた。当然のことながら、かなり金をかけなければこの発酵はなかっただろう。かおりの母親はよく手入れのいきとどいた肌理《きめ》の細かい肌をしていて、微笑むとほんのかすかに細く長い皺《しわ》が生まれた。

「かおりがとてもお世話になっているようで、本当にありがとうございます」

いえ、何もしていませんよと私は答えた。時々会って食事をし、私がその皿の上に毒舌というソースをふりかけてやるだけだ。かおりはそれを、なぜか嬉《うれ》しげに黙々と食べる。

「かおりって、本当に変わった子でしょう」

彼女はため息をついたが、それはよくある母親の社交辞令ではなかった。自分の娘に心から困惑しているのである。

「たったひとりの女の子ですから、私も主人もそりゃあ楽しみにあれこれ考えて育てました。ところが年頃になると、みんなイヤ、イヤと言ってはねのけたんですよ」

前菜の皿が運ばれる頃から、彼女は急に饒舌《じょうぜつ》になった。初対面、あるいは初対面に近い人間にも、すぐにさまざまなことを打ち明けるということにおいて、この母娘はとても似ていた。

「私が着物に目がないものですからね、この子にもいろいろつくってやって、日本舞踊を習わせました。ピアノもバレエもみんなそうでしたけれど、お稽古《けいこ》ごとは何も続きません。それはわかるとしてもね、成人式をすっぽかされたのには驚きました」

その日身内の者たちが集まり、小さな宴を持つことになった。振袖《ふりそで》は三年も前から、いきつけの銀座の呉服屋と相談してつくらせていたものだ。八坂のお嬢さんにいいかげんなものはお着せ出来ないと、京都の一流の職人のところで最高の友禅《ゆうぜん》を誂《あつら》えた。成人式の着物の品定めをすることを楽しみにしている町の人たちも、かおりの着るものをあれこれ噂《うわさ》していた。ところが成人式当日、かおりは置き手紙もせずに家を出たのだから大騒ぎになってしまった。

「大阪の自分のマンションに戻っていたんですけれど、主人はカンカンに怒るしもう大変でした」

結局その振袖は見るだけで腹が立つということで、親戚の娘のものになってしまったというのだ。

「お金の話をするのは下品ですけれど……」

かおりの母親は、こんな前置きをして何回めかのため息をついた。彼女の言葉は、関西弁に似ているような全く違うような、不思議な訛《なま》りがある。

「あの振袖は、呉服屋がのちのち展覧会にお借りします、といったぐらいのもので、小型の外車が一台買える値段でした。それをかおりは、一度も手を通さなかったんですよ。着物だけじゃありませんよ。学校選びにしても、結婚にしても、この子は私たちに肩すかしばかりくわせているようなところがあるんです」

その時ちょうど北京《ペキン》ダックが運ばれてきた。かおりの母親はさりげなくナプキンを襟元にはさみ、白いロールを手にとった。そしてほとんど口紅をつけることなく、それを前歯でかりりと嚙《か》み切った。しかし空気も彼女の印象も何ひとつ中断されなかった。

私は少しずつ理解し始めた。かおりが劣等感を抱いているというのは、どうやら本当のことらしい。この美しく勝気な母親に、かおりは子どもの頃から支配され続けてきたのだ。かおりは決して醜くはない。ひとりでいればなかなか魅力のある綺麗な娘である。けれどもこの母親の傍に立てば、すべてが台無しになってしまう。母親と会う人間は、すべて皮肉屋で意地悪気な観客になったことだろう。

あれ、あれ、お父さんにそっくりなんだ。
お母さんの方が、年頃の娘よりもずっとずっと別嬪《べっぴん》っていうのはいやはや……。

こういう視線に打ち勝つには、娘は長じて母親以上の美貌を得なくてはならなかった。

けれどもかおりにそのような逆転劇は起こらなかったのだ。子どもの頃から、かおりが飼い馴《な》らしてきた劣等感というものは、私の目からはまるで仮想のものに見える。無いところが定義すれば、そのまま消滅しそうなものである。ところが彼女の母親が生きていて時々出現する限りは、バーチャル・リアリティだったものが、次第に現実に近づいていくようなのだ。

「どうか竹下さん、こんな変わり者の娘ですけれど、よろしくお願いいたしますね」

八坂夫人は唇についた北京ダックのソースをナプキンで拭《ぬぐ》いとりながら言った。

「こんな変わり者の娘、一生独身じゃないかって心配してるんですよ」

その時、かおりの願望が形となって、私の胸の中に生々しく浮かびあがった。柳原英志でもその他の男でも誰でもよい。目のさめるような美男子を連れて、かおりは故郷へ帰る。使用人の女たちが言葉を失なうような美しい男だ。その男と手をからませながら、かおりは旧家の奥座敷へと入っていく。そして母親に向かってこう叫ぶのだ。

「ママ、私の彼を紹介するわ」

かおりに新しい恋人が出来た、その男がモデルだというので私はげんなりする。

「あの男の次はモデルとは、かおりちゃんも本当にいい趣味をしているわね」

「あのね、彼が言うのにね、自分はずうっとそういう偏見と戦ってきたし、これからも戦っていくんだって」

そしてかおりは、新しい恋人がどれほど男らしく、気骨《きこつ》に溢れているかを私に話すのだ。

「彼はね、毎日二時間スポーツジムでたっぷり汗を流すの。一度見に行ったことがあるけれども、すごくきついメニューよ。それから英会話のレッスンも続けてるわ。モデルっていう仕事にすごく誇りを持っていて、私、そういうところとても尊敬出来るのよ」

彼女は私に、恋人の写真を見せてくれた。それはファッション雑誌からかおりがたんねんに切り取ったものだ。男は誰が見てもファッションモデルという顔と体をしていた。それ以上でもなければそれ以下でもない。中にパリコレとミラノコレクションに出た時の写真があって、私はへえーと声を上げる。柳原は二流の俳優だったが彼はなかなかのものらしい。

「そうなんですよ」

かおりは嬉しそうに頷《うなず》いた。

「芸能界からも誘いがあるみたいなんですけど、中途半端なことは嫌だって。世界で通用するモデルになるって頑張ってるんですよ」

私は彼女に尋ねた。いい男とつき合ういちばんの楽しさは何なの。他の女から羨《うらやま》しげに見られることかしら。それともセックスの時の嬉しさなのかしら。

「セックスは大きいと思いますよ」

顔を赤らめることなくかおりは言った。

「こんな素敵な人に抱かれてるんだって。こんなにいい男が私にいろんなことをしてくれるって思うだけで、すっごく感じてしまいます」

「ふうん」

「今の彼はジムで鍛えているし、体がとても綺麗なんです。朝、シーツにくるまった裸の胸のあたりを見てると、まるで映画のワンシーンみたい。彼に抱かれるっていうことは、私も映画の主人公になるってことなんです」

かおりがあまりにも少女じみたことを言うのが意外だった。けれどもそのモデルは、前の男よりもずっと誠意がある男らしかった。かおりは彼からプレゼントされた小さな貴属を私に見せびらかすようになった。

「彼には私のこと話してないんです。彼は私のこと、ただの通訳の女だと思っているみたい」

かおりはとても用心していた。男の本当の気持ちがわかるまで、自分が大金持ちの娘だということは黙っているつもりなのだ。

「いずれはわかることなんだから、別に隠しておくことはないんじゃないのかしら。男の人は試されているみたいで、きっと嫌な気分になると思うわ」

「竹下さんにはわからないんですよ」

かおりは言う。自分は今度こそは本気なのだ、美男子で性格のいい男、などというのはめったにいるものではないが、彼はそれに頭のよさが加わる。自分の美貌に気づいてはいるが、聡明《そうめい》な男だからそれを単に利用しているだけなのだ。使えるものは使おうというのが本当の知性ではないだろうか。かおりはおかしな理屈を言う。

「わかったわ、本当に立派な男なのね」

「そうなんです。奥村哲《てつ》っていう名前、竹下さんもちゃんと憶《おぼ》えてくださいね。絶対に世の中に出てくる人なんですから」

編集者と打ち合わせをしている最中、私はふっとこの名前を思い出した。

「ねぇ、奥村哲ってモデル知ってる？」

「えぇ、もちろん知ってますよ。パリコレにも出ていたコですよね」

女性誌のベテラン編集者は、さすがによく知っている。

「うちでも時々使います。百九十センチ近くありますから、世界でやっていくのにはいいかもしれませんね。奥村哲がどうかしましたか」

「いえね……」

私は適当に誤魔化《ごまか》そうとあれこれ言葉を探す。

「彼に熱を上げている人がいるから、どんな人かちょっと調べておこうと思って」

「その人って、男ですか」

女性編集者は、あの話をする時の独特の笑いをうかべた。

「だって、彼はアレでしょう」

手の甲をそらして、頬《ほお》に持っていく独特のポーズをした。彼女は有名なデザイナーの名を挙げ、ずっと以前から奥村は彼の愛人だという。考えてみれば、男性のファッションモデルがホモセクシュアルだというのはそう不思議なことではない。

「だけど彼はホモかもしれないけれど、女の恋人だっているんじゃないの」

「バイなんじゃないですか」

編集者はこともなげに言った。

「男も女もどっちもいけるタイプなんでしょうね。この頃多いですよ。もしかすると奥村哲は、営業上ホモになるのかもしれないし……」

が、おそらくかおりはこのことを信じないだろう。恋人がホモだなどということは、女にとってたちの悪いジョーク以外の何ものでもないのだ。現場を見るか、証拠を手に入れない限り、女たちは笑うだけだ。

そうはいうものの、私は一応このことをかおりの耳に入れておくべきだと思った。かおりの美男好みは、もはや自虐的なところまでいっているのであるが、何もホモセクシュアルの男を好きになることはないだろう。

「よくそういう噂を立てられるみたいですよ。モデルっていう仕事をしていると」

かおりはいつものように感情のない声であるが、冷静でないことはその早い口調でわかる。

「世の中には、男のモデルイコールホモ、って考えている馬鹿がいっぱいいるからって彼は言ってます」

「私もその馬鹿のひとりで、それにお節介がつくんだけれども、ねぇ、彼は本当に大丈夫なの」

「もちろんです。私たちは愛し合っていますから」

「その愛し合っているって、ベッドの上でもうまくいっているっていうこと」

その後、しばらく沈黙があり、ええ、ちゃんと、とかおりはかすれた声で答えた。そのとたん、あぁ噂は本当なのだと私は直感した。幾つかのことが想像できた。ホテルの暗闇《くらやみ》の中での、かおりの困惑と悲しみ。どうしてなの、というつぶやきも私は聞いたような気がする。

「そお、かおりさんがそう言うのだったら、私はもう何も言うことはないわ」

そうですね、と電話は乱暴に切られた。

かおりの母親から電話があったのは、それから一ケ月後である。このところ娘のところへいくら電話をかけても誰も出ない。携帯も切られている。あなただったら居どころを知っているのではないだろうかと彼女は言う。旅行に行ったのならば、それはそれで構わないのだが、連絡ひとつ寄こさないのは不安でたまらない。

「近くですから、かおりさんの部屋を見てきましょうか」

それは有難いと感謝された。今日にでも親戚の者を見に行かせて、自分も上京するつもりだったという。

夜中の一時過ぎだったが、構わず私はすぐ車を動かした。まさかかおりは自殺したわけではあるまい。けれども何か異変が起きたのだ。それは私のせいだろうか。私が彼女の恋人をくさし、その愛人まで教えてやったことから発しているのではないだろうか。

かおりのマンションに着いた。すぐに管理人室へ行きマスターキーをもらう。オーナーの強みで母親が頼んでくれていたのだ。

管理人立ち合いでドアを開けた。

「かおりちゃん、いるの？　いるんだったら返事して」

叫びながらドアを開けた。意外なことに部屋の中は蛍光灯が点《つ》いている。

「いったいどうしたっていうの」

その時私の足はぐにゃりとやわらかいものを踏んだ。かがんで見る。なんとマフラーであった。黄色と紫の二色で、ざっくりと編まれている。それは大蛇のように、廊下の床をまっすぐ進んでいた。

私はマフラーを目印にして、それと共に歩いた。異様な長さである。マフラーはキッチンを突っ切り、リビングへと続いていた。もはや人間が巻く長さではなかった。紫と黄色の胴体が延々と続く動物、そんなものがこの世に存在するのだろうか。

リビングのドアが半分開き、大蛇はそのあたりで小さなとぐろを巻いていた。が、それで終わったわけではない。黄と紫の長い蛇はリビングにまで横たわり、そしてその蛇のいきつく先にかおりがいた。うつむいて規則正しく編み棒を動かしていた。

第三話　こずえ

よくある話であるが、中山こずえは不倫をしていた。

少し変わっていることといえば、その期間があまりにも長く、二十四歳から八年間という歳月を、彼女はその妻子ある男とつき合っていたことだ。これはひとえに、彼女のものごとにこだわらない、大らかな性格によるものだと思う。もう少し目先の利害にとらわれる女であったら、そうした関係が自分の人生に決して得にならないということがすぐにわかったはずだ。そしてもっとうまくたちまわって、上手に別れられるように、相手の心も、自分の心も持っていったに違いない。

呑気《のんき》なこずえは、いつのまにか三十歳を過ぎていた。そして、これまたよくある話であるが、長年つき合っていた男ときっぱりと縁を切り、若い男と結婚しようかと考える時を迎えていた。

「今なら何とかなると思うの」

彼女は私に言った。

「私にちゃんとプロポーズしてくれる男なんて、もうこれから出てこないような気がする。神さまに、もうケリをつけろ、ってどーんと背中を押してもらっているような感じなのよ」

こずえはコピーライターをしている。大学を出てすぐに、中堅のプロダクションに勤めていたのであるが、そこをすぐに独立してフリーランスになった。バブルで広告業界に信じられないような金が流れていった頃ならいざ知らず、今の時代、女のフリーランスがきちんと仕事を貰《もら》って、食べていくのは大変なことだ。私がいるイラストの世界から見ても実情は同じだ。

こずえの独立に際して、熊沢逸介《いっすけ》が手を貸した、というのは誰でも知っていることだ。彼は若い女に仕事を与えただけでなく、自分の愛情もあたえた。もっと業界風の嫌な言い方をすれば、

「仕事とひき替えに、手を出した」

ということになる。

が、男女の仲も八年続けば、そうしたどぎつい部分は消えて、いつのまにか純愛じみた色づけをされるものだ。ましてや、こずえは未だに女子大生に見えるような若く愛らしい

容姿を保っていたし、かたや熊沢は名前どおりの大男で、年と共に横幅は増えるばかりだ。昔から髭《ひげ》をたくわえているので、大日本プロレスの、何とかというレスラーにそっくりである。このむくつけき男が、一世を風靡《ふうび》した、あの化粧品会社のCMをつくったなどとは、誰も信じまい。

八〇年代、熊沢逸介の名は、それこそマスコミを駆けめぐった。ちょうどコピーライターブームが来ようとしていたので、彼の名は糸井重里、仲畑貴志と共に雑誌やテレビに流れ、サブカルチャーの中でもいっぱしの力を持ち始めた。

けれどもこずえは、その頃の熊沢を全く知らないという。彼女が初めて彼に会った九〇年代、彼も彼を取りまく世界もかなり落ち着きを取り戻していた。熊沢は押しも押されもせぬ、業界の実力者として君臨していたのである。

先輩に連れられていった西麻布のバーで、熊沢は何人かの取りまき連中と一緒にバーボンを飲んでいた。そして彼女たちに話しかけ、酒を一緒に飲まないかと誘ったのだ。いくら金が出来ても、彼はワインは飲まない。ビール会社がスポンサーだという理由もあるが、七〇年代から飲み始めた「フォアローゼズ」が、いちばんうまくてさまになる酒だと信じているからである。

コピーライターで、熊沢逸介の名を知らない者はいないだろう。

「私にとって、まるで神さまのような人だった」

とこずえは言う。けれどもその神さまが、出会って三時間後に自分をホテルに連れ込み、下着を剝《は》ぎ取ってのしかかってこようとは思ってもみなかったことであろう。

ところが不思議なことに、熊沢とこずえの仲は、それから八年も続いたのである。原因はいろいろ考えられるが、四十代半ばだった熊沢が、当時「本物の恋」というものにひどく憧《あこが》れていたことがあげられよう。

私は断言していいが、この業界の男たちは総じてロマンチストである。たえず女を口説《くど》き、スポーツクラブでのエクササイズの延長のように、女たちとベッドに上る彼らであるが、そういう行為は、いつか「永遠の女」に会うための冒険と努力と言えないこともない。ちょうどタイミングがよかったのだろう。こずえは確かに熊沢の「永遠の女」になったのである。一方、わからぬのがこずえの心だ。最初は尊敬する大先輩に口説かれ、つき合っていくことの喜びや誇らしさもあったろう。が、寝てみれば、彼はただのデブの中年男であった。

「それが、私もよくわからないのよ」

こずえは言う。

「最初の頃は、ベッドで横に寝て、イビキかいてるのが、あの熊沢逸介だと思ったら、それだけで興奮したわ。他の女たちは、誰もこんな経験出来ないんだと思った。でもね、その時期が過ぎても、決して嫌にならないの。イビキかいてるのを見たら見たで、可愛いなあ、私といて安心してるんだなあ……と思うようになったの」

これはいささかためらわれる質問であったが、私の聞いたところによると、こずえは別段、熊沢によって女に目覚めたとか、体を開発された、ということもないと言う。

「彼で五人ぐらいかなあ……」

と彼女は即座に人数を口にした。

「大学の時は、半同棲《はんどうせい》してた人もいたのよ。セックスはあの時の方がずっとしたわよ。クマさんとは、人が思ってるよりはしていない。本当よ。この頃は夫婦みたいなもんで、泊まっていっても何もしないわ」

八年も続くということはそういうことらしい。こずえの存在は、もはや業界においては、〝準妻〟という風になり、パーティーや仲間うちの旅行でもそのように扱われる。熊沢の妻も彼女のことは当然知っていて、本当に緊急事態の場合のみであるが、

「そちらに伺っておりますか……」

などという電話がかかってくるそうだ。長い歳月は、彼女を公認された存在にし、安定を与えた。熊沢の愛人だということで嫌なことは幾つもあったが、得したことは山のよう

にあると、こずえは正直に言う。

「でもね。もういいんじゃないか。今だったら別れられるって、心底思うようになったの」

ついこのあいだのことだ。二人で食事をし、バーを二軒めぐった。五十半ばになったけれども、熊沢は相変わらず酒が強い。まずビールを軽く二本空け、その後、ぐいぐいとバーボンを飲み干していく。その時、彼はこんな風に言ったという。

妻からある日叱《しか》られた。私は決して嫉妬《しっと》から言っているんじゃないの。独身のお嬢さんのいちばんいい時、青春をひとり占めして、あなたはいったいどんな風に責任をとるつもりなの。私と別れるつもりだったら、それはそれで構わないけれども、あなたもそろそろきちんとしなさい。そうしないと相手の人生をめちゃくちゃにすることになるのよ。

「それって、どうも自分の妻が、いかによく出来た女房か、っていうつもりで言っているらしいのよ。だけどそれを聞いたとたん、私の胸の奥ですうって、いろんなものが冷めていったの」

こずえはロートシルトのグラスになめるように唇を近づけた。熊沢とは反対に、こずえはワイン党だ。それも高いものばかり飲む。熊沢のいきつけのバーで飲んでいる限り、勘定はあちらへ行くのだからと、かなりのクラスのものを開けるようバーテンダーに命じた。

「君と僕とはそれだけ認められている仲だってことを言いたいのかもしれないのだけどさ、奥さんにそんなことを言われる私って、いったい何なのかと思ったわ」

こずえは睫毛《まつげ》の長い大きな目をしている。これで唇が薄く小さかったら、少女漫画のようなと、形容される顔になるのだろうけれども、唇は厚くぽってりとしていた。こずえは口紅をはみ出すように塗るので、ますます意志的な流行の顔になる。三十過ぎてから、彼女の口紅の描き方は、日ごとにオーバーラインぎみになっているようだ。

「自分でもわかっているけど、人に言われるとものすごく腹の立つことってあるじゃない。確かに私の青春は、クマさんのものになっちゃったけど、それはそれでもう過ぎたことじゃない。あの人の奥さんにまで同情される私なのかと思ったら、もう情けなくって、泣きたくなっちゃったわ」

しかし当然のことながら、八年間、こずえは熊沢ひと筋だったわけではない。独身の女に浮気という言葉はおかしいが、時々は独身の男と浮気をし、短かい恋愛をこっそりと楽しみ、そのたびに熊沢と秤《はかり》にかけた。彼女の愚かなところは、その独身の男がたいてい業界の男だったということだ。そこいらのコピーライターやデザイナーが熊沢にかなうはずがない。こずえはその都度、熊沢が勝つことに歓喜し、男たちが負けることに失望のうめき声をあげた。

ところが今度の男は、広告業界やマスコミとは全く関係ない男だという。世田谷で動物病院を経営する獣医が、彼女に熱心にプロポーズしているのだ。犬でも飼おうかと見に行ったことがきっかけで、このバツイチ三十五歳の男は、こずえに強い愛情を持つようになった。

芸能人がよく利用するその動物病院はなかなかの繁盛ぶりで、彼の父親が院長を務めている。確かめるまでもなく資産があり、しかも前妻との間に子どもはいないという、なかなかの条件である。

「熊沢さんとのことは打ち明けたの?」

私が尋ねると、何を馬鹿馬鹿しいことを言っているのとばかりに、こずえは苦笑した。

「同棲していた、っていうならともかく、単なる恋愛を自己申告することなんかないじゃないの。独身の女だったら、恋愛はご飯食べたり、ネイルするのと同じぐらいにあたり前のことだわ」

「それもそうね……」

「そうよ。あっちはバツイチなんだもの、私の過去に関しては何も言えない立場よ。多分私のことをすごく大切にしてくれると思う。イエス、っていえば、私、すごく幸せになれるのよ」

だったらどうしてそうしないのと、私は尋ねた。

「情があるからに決まっているじゃないの」

彼女は私を睨《にら》むように見る。それまでのおっとりとした口調ががらっと変わり、私はどうしていつも年下の女の相談ごとにのってやるのだろうかと悔やむ。彼女たちはとうに結論を出していて、それにいきつくまでの過程を聞いてもらいたいだけなのだ。だから核心に触れた質問をすると、とても嫌な顔をされる。

こずえは、熊沢と別れたくはないのだ。獣医とのことは、まだ自分は選択することが出来る、という確認をしたいだけなのだ。

「やっぱりさ、クマさんに対しては、私だっていろんな思いがあるからさ、それじゃって、すぐに別れられないわけ。何て言うのかな、新しい人が現れました。それじゃハイっていうと、私がすごくドライな人間のようで嫌なのよ」

私にも経験がある。妻子ある男と別れるとなると、ぐずぐずと時間がかかる。いざとなると相手がこちらを手放したがらないからだ。その意地汚さが、まっすぐな愛情のように思えてきて、こちらも二の足を踏む。ごたごたがあり、小さな修羅場《しゅらば》があり、というあの時間は、まさに恋の醍醐味《だいごみ》を味わえるときだ。若い男の時よりも数倍も濃密な時が過ぎていく。

こずえの男は、たぶんこう言ってきたに違いない。

君は僕の妻を嫉妬する必要はまるで無いのだよ。なぜならば、僕の心は完全に君のものなんだからね。あちらはもう、子どもの母親、っていう存在なだけなんだよ。そりゃあ、僕だって君との結婚を考えないことはなかった。苦しんだことは君だって知っているだろう。だけど君が僕をこんなに惹《ひ》きつけているのは、君がバリバリ仕事が出来る女だっていうことなんだ。君を家庭に縛りつけて、妻のようなつまらない女にはしたくないんだ。わかるだろ。彼女は家にいて、子どもを育てるしか能のない女なんだ。だけど君は違う。こうして社会からも認められて、そして僕の心を虜《とりこ》にしている。これ以上、いったい何を望むんだ……。

多少ニュアンスは違うだろうが、こずえも熊沢から同じようなことをささやかれているはずだった。

全く妻子ある男というのは、それだけで手練《てだ》れになっていく。家庭を持っているというハンディを、どうやって埋めていこうかと必死なのだ。その真摯《しんし》なところが、恋のエネルギーに繋《つな》がっていくわけであるが、それにしても八年続くというのは、こずえにどこかひどく鈍感なところがあるのだ。

いつのまにか私はかなり意地の悪い視線になっている。

とはいうものの、こずえの中で揺れ動くものは、すぐに消えはしなかったらしい。二ヶ月後、私はこずえからの電話を受け取った。夜の十一時二十分、女がこれから長い打ち明け話をしようと心する時間帯である。

「おととい、ニューヨークから帰ってきたばかりなの」

熊沢が仕事を兼ねて旅行することになり、それに従いていったという。彼女の心の中では、これで清算しよう、最後の旅だという思いがあったのに、言葉にしようとすると、いつも熊沢に遮られる。

「わかってる、わかってる、って、途中から大声を出すのよ。君にちゃんとした男が現れて、結婚式の日取りが決まるまでは、まだここにいてくれって」

「そこまで読まれてるんだ」

私は笑った。

「そうなってくると女は弱いのよね。あなたはやっぱり熊沢さんのことが好きなのよ。でもやっぱり、あの獣医は惜しいような気がするわね」

「あら、北川とは、まだおつき合いしているわよ」

気のいい獣医は、北川と呼び捨てだ。

「エミ子さん、ずっと前に私に言わなかったかしら。コートを買って、タグをはずしてボタンをかけるまで、前のコートを捨てちゃ駄目だって。新しいコートが本当に自分のものになるまで、古いコートを手放すのはバカだって」

「そうだったかしら……」

私はよく、年下の女友だちに向かって格言のようなものをぶつ。そして言ったとたんすぐに忘れてしまうのだ。

「そうよ。私、すごくよく憶《おぼ》えてるもの。私、北川っていう新しいコートを買うまでは、古いコートも手放さないことに決めたの。だって前のコートを処分したとたん、新しいコートも買えなくなったら困るもの。私、一瞬でも寒い思いをするのは嫌なのよ」

「そりゃそうだ」

私はくすくす笑い、こずえも受話器の向こうで低く笑った。それで二ケ月前の気まずい気分はすっかり消えた。

「私ね、本当に迷っているの。ニューヨークでもずっとそのことを考えていたの。もう、私の人生でこんなに迷って、考えたことはないっていう感じ」

今夜のこずえはとても素直だ。普段も率直な気のいい女なのであるが、今夜の彼女は心に何の翳《かげ》りもてらいもなく、言葉が何らひっかかることなく空中に放たれていくという感じである。

「私ね、前にも話したと思うけど、北川と結婚したいの。あの人と結婚すれば、私もまだ間に合う。まっとうな人生をおくれそうな気がするの」

こずえは「まっとうな」という言葉を、奇妙なアクセントで発音した。

「本当に結婚したいのに、クマさんが邪魔してるの。いいえ、クマさんがっていうよりもまだ彼のことを好きな心が、私をぐいぐい押さえつけているのよね。だから私、考えたのよ。こうなったら、うんと大きな神さまの力を借りようって」

「神さまの力って何なの」

「子どもよ、コ・ド・モ」

こずえは「子ども」という言葉を、奇妙なリズムで発音した。

「私ね、クマさんから別れる方法はただひとつしかない、っていうことがわかったの。それはね、私が妊娠するしかないって」

「熊沢さんの子どもをつくるっていうことなの」

「まさかあ、そうなったら未婚の母になっちゃうわ。私、それが嫌で八年間、ちゃんとコントロールしてきたのよ。北川の子どもに決まってるじゃないの」

こずえの計画はこうだ。北川との間に子どもが出来たら、きれいさっぱり決着がつくだろう。自分の世界も、人生も変わる。自分は幸福な気持ちで、すべてやり直そうと思う。考えてみると、三十代になって熊沢との関係に疑問を持ち始めたのは、子どもがきっかけだったかもしれない。このまま愛人を続けていて、子どもを産めない年齢になったらどうしよう、という、まことにありきたりであるが、女にとっては切実な思いにこずえはとらわれるようになったのだ。

「子どもなんて、少しも欲しいと思わなかったの。でもね、三十を過ぎて、もしかしたら一生持てないかも、と思うようになったら、ぞっとしちゃって。いつでも手に入るんだけど欲しくないのと、手に入れられなくなるから欲しがらないでいようと思うのって、天と地ぐらいの差があるんじゃないの」

こういった女の気持ちが、私にはよくわからない。若い女たちは、私の生活をとても羨《うらやま》しがる。私のようにお金も時間もたっぷりと自分のものになる人生というものを、手に入れたいと言う。そのためには、孤独も耐えられるの、と彼女たちは言う。しかし孤独こそ、実は自分で選び、勝ち取っていくものだと言っても、彼女たちは信じないだろう。それどころか、おそらく負け惜しみだと思うに違いない。

まあ、彼女たちに私の生き方を理解してもらおうとは思っていなかった。私も彼女たちを理解しているふりをするけれどもそうではない。いったい誰が、自分のものではない人生をわかったり、心にしみて考えることがあるだろう。私は単に、いろんな女たちがいることを面白がっているだけだ。それでも時折彼女たちは私の傍《そば》に寄ってきて、さまざまなお喋《しゃ》べりをしていくのだ。

こずえは、さも大切なことを打ち明けるのだというように、話し出す前に大きく息を吸った。

「それでね、エミ子さん、私は賭《か》けをしようと思うの。この判断を、運命っていうか大きなものに任せようと思うの」

〝運命〟という言葉に力を込めた。彼女の計画というのはこうだ。初潮以来、自分には毎月生理がきちっきちっとやってくる。婦人体温計など使わなくても、自分の排卵日というものがわかっている。

「だからその時、北川とセックスをいっぱい、しようと思うの」

最初彼女は「やりまくる」と言いかけたのであるが、さすがにあまりにも品がよくないと考えたらしく、とっさに言い直した。

「二人で旅行するのもいいわ。ううん、旅行に出かけなくたって、私のうちに呼べばいいのよ」

当然のことであるが、北川獣医とこずえとは、知り合ってすぐに肉体関係を持った。八年の間に、すっかり狎《な》れた関係になった熊沢とは、今ではそうめったにセックスはしない。だから久々のそれはとても楽しかったそうだ。

「北川とは、相性も悪くないと思うのよ」

何よりも、自分を必死で求めてくるあの目がたまらなくいいと言うのだ。

「だからね、私が泊まっていったら、って言ったら大喜びすると思うの。彼はね、もう私と結婚するつもりだから、私がOKって言えば、避妊しないはずよ。この状態で六ケ月続けてみる。とにかく北川とうんと愛し合う。そして妊娠したら、これはもう神さまが、私にふつうの奥さんになりなさい、って言ってることだと思うのよ」

「もし、妊娠しなかったら」

私はまたもや意地の悪い質問をしてしまう。

「その時は……」

驚いたことに、こずえはこのケースを全く考えていなかったらしい。不意をくらったようにしばらく沈黙が続いた。彼女はもしかすると、北川と結婚して、子どもを産む方を本当に望んでいるのかもしれないと、私も混乱してくる。

「その時は、また、熊沢さんのところへ、戻るかもしれない」

ほうっと私は声をあげた。彼女の本音はここなのだろうか。それならばまわりくどいことをしなければいいのにと私は思う。やがて北川という男も傷つくことになるはずで、私は時々こずえのこのような女の残酷さに驚くことがあった。

が、思い出してみると、いや、思い出すまでもなく、数年前に私も同じようなことをしているのである。男を掌《てのひら》にのせ、いたぶってみることはとても楽しい。自分の価値がいっきに上がるような気がする。そして自分の若さも美しさも、永遠のままでいられるように錯覚する。こずえはいま、最後の黄金期の中にいるのかもしれなかった。

そして何ケ月かたった。こずえから時々報告が入る。北川とひと月に一度週末旅行に出かけるようになったという。もちろんあの時期にあたるようにスケジュールを入れるのであるが、フリーランスのこずえはともかく、獣医の北川にとってはかなりむずかしいことだという。

「突然、大型犬の手術なんかが入っちゃったりするの。犬と私と、どっちが大切って迫るの。そうすると困って下向いたりするのがおかしいの」

おかしそうにこずえは笑う。もしかするとこのまま二人の仲は堅固なものになるのではないかと私は想像するようになった。いくら妻公認とはいえ、家庭持ちの熊沢とだったら、旅行もままならなかっただろう。こずえは今、独身の男との蜜月《みつげつ》がいかにいいものか感じているはずだ。

そしてある朝、私は電話で起こされた。目覚し時計を見る。七時半だ。冗談じゃない。私のような仕事をしていたら、こういう時間は真夜中だ。私は無視することにする。すると今度は携帯の方が鳴り出した。仕方なく私はベッドから起き出した。

「もしもし、エミ子さん。こずえです」

どうしたの、こんな時間にという私の怒りの声は、たちまち彼女の切羽《せっぱ》詰まった声に押し退《の》けられた。

「大変なの、ピンクのハートが出たの。今、見たの」

意味がわからない。

「だから、オシッコをかけたら出たの」

どうやら妊娠検査薬のことらしい。

「よかったわね、おめでとう……」

私は事態にふさわしい、のんびりとした声を出した。いくら抗《あらが》ったところで、世の中はこういう風に出来ているのだ。若い女が長く不倫をしたところで、やがては独身の男と結ばれていく……。

「それが違うの。これって、クマさんの子どもなの」

先月北川は、カナダへ研修旅行に出かけた。海外における犬のブリーダーの最新事情を見てくるという旅で、ずっと以前から決まっていたという。十日間の旅行だったが、その日程はこずえの言うところの「タマゴの日」とすっぽり重なってしまった。例によって、キャンセルしてよ、いや、出来ないという喧嘩《けんか》があり、気まずいまま彼は旅立ったというのだ。

熊沢はその留守に、こずえのマンションにやってきた。

「いつもだったら、お酒飲んでおとなしく寝ちゃうのに、あの日に限ってガバーって襲いかかってきたの」

熊沢も馬鹿ではない。どうやら別の男が現れたことに気づいていたのだ。疑惑が彼の力を奮《ふる》い立たせた。次の日も泊まっていって、彼女を手放さなかったと言う。

「たぶん、あの時に出来たと思う。女の体ってすごいわねぇ……。ちゃんと二週間後、生理の始まる時に反応があるんだもの……」

しきりに感嘆する彼女に、私はまたしても嫌なことを聞いてしまう。

「それで、その、熊沢さんの子、産むつもりなの」

「まさか。シングルマザーなんて絶対に考えられないわ」

鳥取の田舎《いなか》で育ったこずえは、時々へんに旧《ふる》めかしい倫理観を見せる。家庭のある男とつき合うのも、別の男と二股《ふたまた》をかけることも、歯牙《しが》にもかけぬ彼女が、「シングルマザー」

とこわごわ口にするのだ。

「でもね、このことは熊沢さんともよく話し合いなさいよ。もしかすると、いい方法を出してくれるかもしれないじゃないの」

「いい方法って何かしら。認知してくれるとか、そういうこと。私、そんなのも嫌だわ。お父さんのいない子どもなんか連れて帰ったら、私の田舎は大騒ぎになるわ。親もどんなに悲しむかわからないわ……」

そして電話は切られた。

私はその週に、続けて夢を見た。普段夢などあまり見もしないし、覚めても気にもかけなかった私が、起きてからいじいじとそのことを考えるようになった。小さな赤ん坊を抱いたこずえが、ひとり泣いている夢なのである。こずえ一人だと可哀想だと思ったこともないのに、赤ん坊が加わるとこれほどせつない構図になるとは思わなかった。

私はこずえのところへ電話をかけたのであるが、メッセージを残しても何もかかってこない。私は世の中の動向を気にかけるようになった。熊沢逸介が、離婚してすぐに再婚するということはないかと噂《うわさ》に耳をそばだてるようになった。

やっとこずえから連絡があったのは、それから三ケ月もたってからだ。

「いったいどうしてたのよ」

私は怒った。

「とても心配してたのよ」

「ごめん、ごめん。しばらくイタリアへ行ってたの。PR誌の仕事だったんだけど、取材の後、ひとりでシシリアの方をまわってきた」

「子どもは、どうしたの……」

私には珍しく、とても注意深く尋ねた。

「ああ、あれはやっぱり駄目にしたわ。何もかもよ」

妊娠を告げた時、熊沢はあわてふためいたという。今、妻と別れることは出来ない。母親が老いて具合が悪いし、末の娘が高校入試だなどと、ありとあらゆる理由を並べたて、よくある話であるが、それが今まで感じたことのない大きなきっかけとなった。「憑《つ》きものが落ちたように」こずえは熊沢と別れることにした。が、そうかといって北川の方にも行かないと決めた。

「あの人を本当に愛せるか、って問われたら違うと思う。北川さんって、クマさんいてこその人だったのよ」

熊沢と別れ、北川も捨て、子どもも堕ろしたとしたら、

「それって、こずえちゃん……」

「そう、私って、古いコートも新しいコートもない。まるっきり何もないっていうこと」

彼女はくっくっと笑う。

「寒くなるのが怖くて怖くて、ずっと長いことおびえてた。でもさ、寒いのも悪くないかもってこの頃思うようになってる。もうじき夏だし、イタリアに行ってきたせいかな」

近いうちにお土産《みやげ》のワインを持っていくわ。あっちでそれこそ、毎日一本は空けていたの。これだけ詳しくなったから、いっそソムリエの資格でもとろうかしらと、こずえは楽し気に喋べる。

結局は似合いもしないし、好きでもないコートは着ないことに決めたんだと彼女はつけ加え、私はつまらぬ夢を見たことを一瞬恥じたのである。

第四話

葉子と真弓

「こんな相談、出来るのはエミ子さんだけなんですよ」

私は中年になるにつれ、女たちからこう言われてきた。学生時代からそのきざしがあったのだが、三十代になるにつれ、私は多くの女たちから悩みや相談ごとを打ち明けられるようになった。どうしてなのか自分でもよくわからない。ただある人から、私の目と口のアンバランスがいいと言われたことがある。つまり目は、人の話を聞こうとキラキラと光って身構えているのに、唇はしっかりと閉じられている。秘密を守ってくれ、しかもこちらの話を親身に聞いてくれる女は、めったにいないというのだ。

けれども今日の場合、私の立場は実に不思議なものになっている。

「あなただけなの」

と頼られてもそう嬉《うれ》しくはない。なぜならば目の前にいるのは、十一年前に私と別れた夫の現在の妻なのである。言ってみれば私たちはライバルといってもいいのであるが、彼女と私とは随分と時間がずれている。彼女が、私の夫だった男（山口というのであるが）と結婚したのは五年前のことだ。ファッションメーカーのプレスといえば、ふつう才色兼備の世慣れた女が多いというのに、この葉子《ようこ》は妙におっとりしている。どこかタガがはずれているのではないかと思うほど世の中を深く詮索《せんさく》しない。だから山口も私に紹介したのだと思う。

もっとも彼と私とは「とんでる夫婦」を気取るつもりなどまるでなかった。別れた後もオープンに仲よくつき合うはずはなかったのだ。けれども新妻の葉子が、私のイラストや書いた本を前から好んでいることもあって、ぜひ紹介してくれと彼に頼んだらしい。私たちは青山の老舗《しにせ》のイタリア料理店で食事をした。

「私、とっても嬉しいんです。竹下さんのお描きになるイラスト、とっても好きで画集も何冊も持っているんですよ。もちろんエッセイも大好きです。おかしなものですよね、憧《あこが》れていた人にこんな風に会うなんて。私、この人と結婚しなければ、竹下さんにはとてもおめにかかれなかったんですよね」

「変わってるだろ、この人」

山口が苦笑して言った。

「この人は帰国子女で、子どもの頃はずっとアメリカや中南米で暮らしてたんだよ。だからちょっと変わったところがあるんだよ」

口調はぞんざいでも、彼の目にはあきらかにいとおしさがにじんでいて、それを私が見ていてつらくなかったと言えば嘘《うそ》になる。何といっても、私たちは夫婦であったのだから。

私は目の前の二人に、自分の中に生まれた感情を読みとられまいと質問をすることにした。

「葉子さんのお父さんって、商社マンでいらしたの」

「いいえ、鮨《すし》の板前です」

なんでもふつうのサラリーマンをしていたのであるが、日本の暮らしがつくづく嫌になった。外国に行っても食いっぱぐれのない職業はないだろうかと考えた結果、鮨の板前になることを思いついたという。

「それがね、変わった父親で、スシブームが起こったり、日本のことが知られてくるとその土地がすっかり嫌になってしまうんです。スシなんか見るのは初めての外国人が、上から醬油《しょうゆ》かけたり、ワサビなめて泣いたりするのを見るのが面白いからって、すぐに遠いところへ移るんですよ。最後はコスタリカの日本人のまるっきりいないところへ行きました。現地のあやしげな魚で、へんなもん握ってたんですよ」

「まあ、それだったら葉子さんも苦労したでしょう」

「いいえ、それがですね、私が十五の時に、母親がとうとうキレて、私と弟を連れて日本へ帰ってきちゃったんです。しばらくは別居でしたけど、母に男の人がすぐ出来ました。この人が年とってたんですけど、結構お金持ってまして、私はお嬢さん学校に入れてもらえました。母は恩着せがましく言うんですよ。私が離婚してなきゃ、あんたたちはずうっと地球の果てをさまよってたって……」

こんな話をする葉子が、私はわりと気に入ったのだが、そう仲よくするわけにはいかない。私たちは山口を中心に、元の妻と今の妻ということになるのだ。何度でもいうように、私は元の夫、あるいは恋人だった男の今の女とつき合う趣味はなかった。私のいるマスコミの世界では、そうした変わったことをして得意がっている連中がいるけれども、私はまっぴらだと思った。

けれども一年に三回か四回、葉子から電話がかかってくる。

「エミ子さん、お元気ですか」

甘くやわらかい声だ。彼女が働いているメーカーの女にたまたま聞いたところ、葉子はやはりワンテンポずれたようなところがあるそうだ。けれども取引先から好かれる性格や達者な語学力のために、結構重宝がられているという。

「今夜も裕介《ゆうすけ》さんの帰り、すっごく遅いみたいなんですよ」

山口は某一流出版社でファッション雑誌の編集をしている。金も遣うことが出来れば、女と知り合うチャンスもとても多いという職場である。もちろん葉子にはそんなことは言いはしないけれども、私たちの離婚の原因のひとつは彼の浮気であった。

東京のお坊ちゃん育ちである裕介は、傲慢《ごうまん》という風でもなく、自然に世の中をなめてかかっているところがある。つまり来るものは拒まずといおうか、自分には人よりも多くいいめにあう権利があると思っているようなのだ。

自分から積極的に女を口説《くど》くことはせず、少々ひいてあたりを眺めている。半分は意識してやっていることとはいえ、それが女たちの関心をひくのだ。私と知り合った頃は、顎《あご》の線ももっとシャープであったのだが、今はやわらかい曲線になっている。それがひと重瞼《まぶた》の歌舞伎役者風の顔と似合っていないこともなく、まあまあの美男子の部類に入ったかもしれない。洋服にも大層気を遣っていて流行のものを着ているから、まあ目をひく方だろう。

葉子はそういう山口にかなり惚《ほ》れているらしく、

「淋《さび》しくって、淋しくって」

と臆面《おくめん》もなく言うのである。

「撮影や打ち合わせだからっていって、帰ってくるのが午前さまになるのがしょっちゅうなんですよ。エミ子さんの時もそうでした？」

何やら遠縁の娘から相談を受けるような具合になってくる。

「そうね、私の時も新婚時代から遅かったわね」

「私も仕事柄、マスコミの知り合いは多いんですけどね、みなさん平日はうちにいなくっても、土日はちゃんといるんですすよ。それなのに裕介さんは、ゴルフへ行くんですから嫌になっちゃう」

「それはそうよね、ひどいわね」

私と結婚した頃、裕介はまだ若いこともあり、ゴルフにはそれほど手を染めていなかった。それよりも彼が夢中になっていたのはテニスで、新婚の頃は暇さえあると二人でオートテニスへ出かけたものだ。けれどもそんなことを、受話器の向こうの女に、もちろん教えてやることはなかった。

「これじゃ子どもも、なかなか出来ないと思うんです」

不意に葉子が〝子ども〟と発音した。

「ねぇ、立ちいったことを聞きますけど、エミ子さんとの時も、彼はあまり子どもを欲しがらなかったですか。あの人、もう四十だし、私だって三十過ぎてるんですよ。まわりの人からもせっつかれてるし、私、今つくっても少しもおかしくないと思うんですけど、あの人はまだ早いって」

私は安堵《あんど》のあまり、小さなため息をもらした。裕介はあのことを全く新妻に話してはいないらしい。

「そうねえ、まあ、私の時と葉子さんの時では状況が違うからねぇ。私もよくわからないわ。だって別れてもうかなりたつんですもの。あの時と今では、あの人も考え方が違うかもしれないものね」

「そうですねぇ……。すいません、つまらないことを相談して。エミ子さんに言うようなことじゃないのかもしれないのにね」

「そうよ、私はおたくのご主人の別れた妻なんですから、一応は気を遣ってよ」

そして私たちは声を出して笑った。そんなつき合いであった。それでもこの四年ぐらいの間には三回ほど食事をしたことがある。食事といっても軽いランチだ。そのうち一回はたまたま知人の個展で出会って、というなりゆきであったと記憶している。

その葉子から久しぶりに電話がかかってきた。

「久しぶりね、お元気かしら。今度のところはどう？　うまくいっているの」

私は風の便りに、葉子が外資系ファッションブランドのプレスに転職したことを知っていたのだ。何でもかなりの年俸でひき抜かれたというから、人は見かけによらないものである。

「ええ、何とかやってます。それよりも私、エミ子さんに会って、どうしても相談にのってもらいたいことがあるんです」

夫婦仲がうまくいっていないのだ。そういえば最初から、葉子の声にはどこかとがったものが含まれていた。けれどもそんなことは私の関与することではない。私は裕介の欠点を幾つも知っている。彼が朝、トイレのドアを開けたまま用を足すことも、風呂の浴槽の中にタオルを入れっぱなしにすることも、他の女のためのコンドームを平気で財布に入れっぱなしにしているような男であることも知っている。

けれどもそうした情報の量は、私と葉子ではそう変わらないはずだ。私は耐えられなかったから別れた。ただそれだけのことだ。そういう情報にどう対処すればいいか、どう打ち勝てばいいのか、教えてやるほど私は親切な女ではない。失敗した私から見れば、葉子は危険を承知で、地雷の中に踏み込む女だった。

「葉子さん、私、何度でも言うように、おたくのご主人、山口さんの別れた妻なんですよ。気まずいこともあったし、嫌なこともあった。そういう人間に向かって、夫婦仲を相談するなんてへんでしょう」

「でもエミ子さん、私、本当に困ってるんです。あの人、浮気っていうよりも本気らしくって、もう相手の女に夢中なんです。そしてその女の人は、エミ子さんのよく知っている人なんです」

「え、それってどういうこと」

「森田真弓《まゆみ》さんっていう、フリーライターの人です。よく知ってるでしょ、だってエミ子さんと一緒に、彼女、本を出したこともあるじゃないですか」

真弓は今年三十四歳になる、わりと名を知られたライターである。

彼女は大学を卒業した後、中堅どころの出版社に勤めていたのであるが、すぐにやめてフリーランスのライターになった。正社員の方が、ずっと風あたりも少なく楽なことが多いのであるが、彼女はもう勤めるのはごめんだという。こういう経歴の人間は、

「私は社会派のルポをやりたいから」「ノンフィクションの作家をめざしているから」「いずれ署名記事を書きたいから」

などと健全な野心を持っているが、彼女は、

「何でもいいの。フリーになったからにはとにかくお金を稼ぎたいのよ」

とあっけらかんとしたものだ。グルメ記事や星占いから、有名人のインタビューまで何でもこなした。文章が達者なうえに、フットワークが軽く、地方の取材にもすぐ飛び出していく彼女は、またたく間に売れっ子になった。年収を聞いて驚いたことがある。ちょっ

とした作家ぐらいの収入があった。

「そんなに稼いでどうするのよ」

私がからかったところ、

「嫌だ、エミ子さん。私たちみたいなシングルの女は、お金だけが頼りですよ。ま、五十近くなったら仕事を整理して、気に入ったところの旅の記事でものんびりと書こうと思って」

と真弓は打ち明けたものだ。

よく酒を飲むし、うまいものにも目がないが、そのわりにはほっそりとした体つきをしている。この業界の女らしく、身のまわりにも凝《こ》っているから、まあまあ美人のしゃれた女ともいえないことはない。けれども彼女には、男を惹《ひ》きつける華やかな光線が欠けていた。そう容貌《ようぼう》に恵まれていない女でも、必要に応じては時々は放つあの透明の光線だ。私が思うに、長いことフリーランスをやっていた真弓は、男から身を守るすべを早くから身につけてしまった。それは本気で、あるいは冗談で言い寄ってくる男を、三枚目になって追い払う手段をすっかり習い性《せい》にしてしまったことである。

「あらー、すいませぇーん、今、私、更年期の治療受けてるもんで、そっちの方はどうも」

「ここんとこ、肩こりひどくって、湿布薬がべたべたなんですよ。だからニオイがきつくって、今夜は遠慮しときまぁーす」

酒場やカラオケボックスの片隅で、こんな真弓の笑いを含んだ声を何度聞いたことだろう。こういう言葉を発すれば発するほど、女の中のやわらかく綺麗なものが削られていくのだが、たいていの女がそのことに気づかない。わずらわしさを除《よ》けるために、多くの女たちは自分をピエロにするけれどもピエロの時間が長くなればなるほど、たとえ好きな男の前にいてもプリマになることはむずかしくなってくるのだ。

私はこの二、三年、徐々に真弓の「ピエロの時間」が長くなっていくのを案じていた。

そして、

「私たちシングルの女は、お金だけが頼りだから」

という言葉が、せつなく胸に響いたりもした。その真弓と山口とが、どうして愛し合ったりすることがあろうか。仕事柄、彼らが出会ったりしても不思議はない、と私は考えていくうち、ある考えに思いあたった。

私は葉子にこう問うてみた。

「あなた、まさかおかしなことを想像していないでしょうね」

「おかしなことって、何ですか」

「だから、その、私があなたたち夫婦に嫉妬《しっと》して、別の女を近づけたんじゃないかっていうことよ」

「まさか、そんな馬鹿馬鹿しいこと。テレビドラマだってあり得ませんよ」

葉子が笑う。その屈託のない声に、私は自分があまりにも下品な勘ぐりをしていることに気づいた。

「森田さんとは確かに親しいわよ。でもこの半年ぐらい会っていないし、あの人って、何ていうかな、自分のことはぼかして話す人なのよ」

それはこの業界の人間にしては珍しい美点であった。真弓は決して相手の男の実名を打ち明けたりはしない。

「奥さんと子どものいる人」

「もしかすると、エミ子さんが会ったことがあるかもしれない人」

「今度はびっくりされるぐらい若い人」

そういうヒントを全部合わせても、山口の姿はどうしても浮かんでこないのである。

「ねえ、葉子さん、おたくのダンナの浮気相手が、森田さんだってどうしてわかるの？その話、信憑性《しんぴょうせい》のあることなのかしら」

「ありますよ。だって私、彼のメールを見てしまったんですもの」

真夜中にトイレに起きたところ、夫がソファでうたた寝をしていた。どんなゲームをしているのかと、マウスをいじったところ、彼女からのメールが目に飛び込んできたのだという。

「箱根は夢のように楽しかった。あまり楽しかったんで、もうこのままあなたに会えなくなるんじゃないかっていう不安がわいてきました、とか何とか、すごい文面でしたよ」

「それが森田さんからだったたっていうの？」

「ええ、メールアドレスを確かめましたから」

何という不用心な男だろうかと、私はかつての夫に向かって舌うちしていた。浮気の最中に、どうしてパソコンをつけっぱなしにしてうたた寝をしたりするのだろう。

「それに私、これ、どういうことって確かめました。証拠を見せて。徹底的にとことん話し合ったんです」

なるほど、あんな風にのんびりしたように見えても、葉子はやはり帰国子女なのだと、私はおかしなところに感心した。

「そうしたら彼、森田っていう人とつき合ってるって白状しました。白状っていうよりも居直りっていった方がいいかもしれない。好きになったんだから、もう仕方ない、っていう感じだったんですよ」

葉子の言葉の最後の方が震えてきて、さすがに私は同情した。山口は変わったと思う。昔は絶対にそんな風ではなかった。シラを切りとおしたことはあっても、居直りということはなかったのだ。彼はそれほど真弓のことを愛している、ということなのだろうか。いや、まだ私にはにわかには信じられない。今度のことは、どこかで仕組まれた茶番劇のような気がして仕方ないのだ。

「ねぇ、エミ子さん、一度会ってくれませんか」

葉子の言葉はもっともであった。これほど深刻な話をしているにもかかわらず、私たちはいつも電話だけなのだ。

「いいわよ……」

「じゃ、お昼ごはんをご一緒にっていうことで」

「私は別に構わないけど」

「東麻布にすっごくおいしい中華料理屋さんが出来たんですよ。あそこはいかがかしら」

こうした切羽《せっぱ》詰まった際も、ランチのことを考える葉子をつくづく不思議な女だと思う。

そう、少しわかったような気がする。葉子がどうして山口から捨てられようとしているかだ。あの男は昔から、無神経な人間をひどく嫌う。間が悪い、といおうか、その時に適切な言葉や行動からずれる人間を、頭の悪い奴らとして評したものだ。葉子はもしかすると、そうしたひとりかもしれなかった。そして彼女はそのことに全く気づいていないし、夫が話したところで意味もわからないだろう。

ともかく、私は夫から捨てられようとしている、元別れた夫の今の女房に会うことになった。私が多少意地の悪い気持ちを持たなかったといったら嘘になる。

こういう場合、女はさぞかし容色が衰えているだろうと考えるのは自然なことだ。葉子と会うのは二年ぶりのことになる。この前は初夏のことで、彼女はペパーミントグリーンの麻のワンピースを着ていた。勤めていたファッションメーカーのものだ。若い女性向きにつくられていたそこの服は、大柄な彼女が着ると妙に色っぽい感じがした。少女がわざときつめのドレスを着て、自分の体の曲線を出しているように見えたのだ。葉子の方も、それを意識していたのかもしれない。

が、彼女が今度転職したのは、イタリアの有名ブランドである。金持ちの中年女たちが着る服だ。私は葉子が野暮ったい雰囲気になって現れるのではないかと思ったが、そんなことはなかった。ホテルのコーヒーハウスにやってきたのは、さらに洗練され、美しくなった葉子であった。自分に似合った質のいいスーツをさらりと着ている。私はそれまで、葉子の勤め始めたブランドの服があまり好きではなかったのだが、これなら着てもいいかな、とちらりと思ったぐらいだ。

「エミ子さん、お久しぶり」

「本当ね、元気だった？」

私たちは挨拶《あいさつ》をかわし、ついでに探るような視線もかわしたと思う。私は葉子を見て、

「これがもしかしたら、あの男に捨てられる女か」

と思い、葉子の方も今の私の姿から何かを学びとろうとするかのようであった。これは今までの彼女にはなかったことだ。よくある話であるが、しのびよる不幸が彼女に賢さと鋭さを与えていたのである。

話の口火を切ったのは私の方だ。

「あのことだけれども、私はまだ信じられないのよ。だって真弓っていうのは、そういうタイプじゃないのよ」

「そういうタイプじゃないって、どういうことですか」

こうした口調もやや挑戦的に聞こえて私は驚いた。

「色気がない子なのよ。そりゃあ、過去に恋人は何人もいただろうけどもね、あの人は、根本的にめんどうくさがり屋のタイプなのよ。イヤなことをしてまでつき合いたくない、ってまず思ってしまうようなところがあるわ。人間関係でゴタゴタするくらいなら、あっさり男の人を諦《あきら》めるっていう子よ。そういう人が、何もわざわざ私の元の亭主を選ぶよう

なことはしないと思うけれどもねぇ」

「そうでしょうかね……」

「私ね、実はあなたから電話を貰《もら》ってから、ずうっと彼女には連絡していないの。だって探りを入れているみたいでイヤじゃないの」

「そうかもしれませんけど、彼女はもう覚悟してると思いますよ」

葉子はきっぱりと口にする。

「裕介さんは、もう森田さんとつき合っていることを私に宣言したんです。っていうことは、森田さんにも話がいっていると思うんです。私とエミ子さんにつき合いがあるっていうことも、森田さんは知っているんでしょう。だったらもう覚悟していますよ」

なるほど、そのとおりかもしれない。

「だけどね、私、本当にまだ信じられないのよ。真弓っていう子は、男の人にそんなに労力を使うぐらいなら、おいしいものを食べて寝ていた方がいい、っていう人なのよね……」

「安らぐって、あの人は言いました」

私の言葉を、葉子の早口の言葉が遮る。

「彼女といると、ものすごく心が安らぐんですって。こんなことは初めてなんだって言いました」

こう口にすることが、自分はもちろん、前妻である私をも侮辱していることに、葉子は気づかないのだろうか。

「安らぎか、それはまた陳腐なご意見だこと」

と私は笑った。いかにも山口の言いそうな言葉だと思ったし、そんなことを口にするような男だろうかという疑問もわく。いずれにしても十一年間の間に、私は彼のたくさんのことを忘れていたし、同時に彼の中にたくさんの新しいものが生まれているはずであった。いずれにしても、私は今どうしてここの席にいるのだろうかという思いが、私をとらえていた。昔の夫に対する未練か。それとも葉子への厚意ゆえか。真弓に対する友情だろうか。いや、こうした人間の動きの中に、自分も参加したいという卑しい好奇心なのだろうか……。

「でも、私、別れたくないんですよ」

葉子が顔を上げる。ホテルの暗めの照明が、彼女の顔を白く浮かびあがらせて、つくづく美人だと思う。公平に見て、真弓よりも葉子の方がずっと美人だと思ったとたん、憐《あわ》れみとほんの小さな悪意がわいた。その悪意に私は狼狽《ろうばい》する。ほんのわずかでも「いい気味」などと感じる心があったら、私はここにはこなかったろうに。

「こんなことされても、私、まだ裕介さんのことが好きなんです。別れるつもりなんかまるでないんです。彼がもしあの人のところへ行くっていうのなら、私、待つつもりですし、いろんな努力もしてみます。ねぇ、エミ子さん、お願いします。私に力を貸してくれませんか。母は私のことをバカっていうだけだし、私、他に相談する人が、誰もいないんです」

葉子の率直さに、私の小さな悪意はいっぺんに吹き飛んだ。安堵して私は深いため息をついたが、はからずもそれは承諾の頷《うなず》きのようになってしまった。

「そりゃあ、出来る限りのことはしてあげるけど」

「嬉しい。私、エミ子さんには何でも相談出来て、何でも話せるから不思議なんです」

私はこれと同じような甘えた声を、以前誰かから聞かされたような気がした。もう一人の女、真弓からだった。

彼女は私の電話を待っていたようであった。

「私の方から連絡しなきゃいけなかったのにすいません」

殊勝な声を出す。

「私、エミ子さんにいろいろ聞いてもらいたいことがいっぱいあるんですよ」

わかるわ、と私は答えた。ちょっとこみ入った話になると思うので、できたら自分のマンションに来てくれないだろうかと彼女は言う。

「私が何かつくっておきますから。申しわけないですけど」

彼女の部屋で食事をするのは、そう珍しいことではなかった。真弓は料理ページを長く担当していることもあり、何をつくらせてもうまかった。ひとり暮らしの女たちの中にも料理自慢の者たちは何人かいて、みなで持ち寄りパーティーをしたこともある。こういう時も、よく真弓のマンションが選ばれる。

彼女は仲間の中でも抜群の部屋に住んでいた。経堂《きょうどう》の3LDKというマンションは、バブル時には軽く一億を超していただろう。真弓ぐらい不動産屋運のいい女はいないとみなは言う。彼女はバブルの始まる前、親の援助で南新宿にワンルームマンションの一室を既《すで》に買っていた。それが結構な値段で売れたのは、バブルが終わる少し前である。彼女のえらかったところは、それを元手にすぐに高額の物件を買わなかったところだ。

しばらくは賃貸の部屋に住んでいたのだが、彼女に言わせると、

「あまりにも忙しかったのと高かったので、売りマンションを探しているヒマがなかった」

ということと、

「たまたま男と一緒に住んでいたから」

なのだが、これがすべていい目に出た。彼女はバブルがはじけ、男と別れて後、ゆっくりとマンションを探した結果、豪華な広々とした部屋を格安で見つけることが出来たのである。

私は既になじみになったその建物の前に立ち、オートロックボタンを押す。私は心底緊張していた。彼女とは長いつき合いであるが、こんなに心が固くなったのは初めてであろう。

再び、

「私はどうしてここにいるのだろうか」

という思いが頭をもたげる。人に頼まれたからだという大義名分が、自分を奮《ふる》い立たせているが、私の目的は実は別のところにあった。

二基あるエレベーターはどちらも一階で停まっており、待つことなしに五階まで上っていった。低い音をたてて、エレベーターが停まる。いつもだったらドアを開け、廊下を歩いてくる私を待っている真弓なのに、今日は姿を見せない。私はドアをノックした。やはりいつもとまるで違っている。

やがてドアが内側から開けられ、真弓が姿を見せた。化粧をしていないことがあるだろうけれども、顔がむくんだように見え、眉が薄い。黒いニットにはところどころ毛玉がついている。男を奪おうとする女が、男を奪われる女よりもずっと容姿が衰えている、というのはいったいどうしたことだろう。

「エミ子さん、私のこと、怒ってるでしょ」

いきなり真弓が言った。その目の中に、確かにおびえがあった。

「私もこんなことになってびっくりしているのよ。いつ本当のことを言おうかって、ずっと考えていたんだけれど」

「まぁ、その前に座らせてよ」

私は居間の白いソファにどさりと腰をかける。真弓自慢のアルフレックスのソファである。以前インテリア担当のライターをしていた時に、見本を特別に安く譲ってもらったのだ。

真弓は私の前に、おそるおそるという感じで座った。神妙に目を伏せているのが、いささか芝居がかっている。この年下の友人と、何度旅行したことだろうか。春の京都、夏の沖縄、冬の由布院《ゆふいん》温泉へ行った。一緒の部屋に泊まり、隣り合って寝た。大人の女だから、高校生のように自分のことを打ち明けたりはしない。ただ明日はゆっくり寝坊しようねとか、早起きしなくっちゃね、などと他愛ないことを言いかわしただけだ。それでも同性同士のあのぬくぬくした空気を、私は好きだったし大切に思っていた。裏切られた、などとは考えていない。山口は葉子のものだ。ただ私は真実を知りたかった。

「私ね、エミ子さんに電話しよう、いつものように話を聞いてもらおうって、ずっと思ってたのよ。でもね、私の気持ち、いくら話してもわかってもらえないと思ってたのよ」

「山口が、私の元の夫だったから」

「それもあるけれど……」

私は真弓の方に向き直った。

「そうよね、これってどうでもいいことなのよね。私はもう山口の奥さんでも何でもない。別れて十一年もたつのよ。でもね、不思議ね、私、どうしてこんなにお節介をやくんだろう。どうしてこんなに本当のことを知りたいんだろう……」

「え？」

真弓はよく聞こえない、という風に首をかしげた。唇が白く乾いている。

「真弓ちゃん、あなたさ、妊娠してるんでしょ」

真弓は大きく目を開いて私を見た。おびえはすっかり消え、その代わりに私にすがろうとする甘えがにじみ出してきた。

「どうして、そのことがわかるの」

「だって、そうでなきゃ、いろんなことのつじつまが合わないもの」

真弓はゆっくりと話し始めた。誰かに聞いてもらいたくてたまらなかったことを、少しずつ放出するという風に、丁寧に話し始めた。それは今までの彼女の喋《しゃ》べり方とはまるで違っていた。

三ケ月前のこと、ヴァージンアイランド諸島へ取材で出かけた。本当はもっと若いライターが行くはずだったのに、ライターは別の仕事、彼女に言わせると将来を左右するような重大な仕事が入り、急遽《きゅうきょ》キャンセルということになった。それで真弓に白羽の矢が立ったのであるが、この仕事は思っていたよりも本当に大変だった。観光局とうまくコンタクトがとれないばかりか、日本から連れていったカメラマンがささいなことからツムジを曲げ、途中で帰るなどと言い出したのだ。それを根気よく説得し、何とか計画どおりの取材を可能にしたのは、同行した副編集長の山口の力だった。海外取材ではよくあることであるが、二人はいつしか同志のような関係になり、いっときの特殊な感情に溺《おぼ》れてしまった。ホテルのコテージで、二人酒を飲むうち、ついそういうことになってしまったというのだ。この業界ではよく聞く話である。ところが、

「信じられない」

と何度も真弓は繰り返すのであるが、数回の関係で新しい命が宿った。東京に帰ってか

ら真弓はそのことに気づき、不思議な心理で男にメールを打つ。

「私ね、若い時にも一度妊娠したことがあるの。相手はやっぱり奥さんのいる人だったから、おろおろしちゃって、そりゃあみっともなかったわ。百年の恋もいっぺん、っていうのはこういうことだと思った。だから今度も、山口さんのそういう姿見て、やっぱりねって、それでピリオドをうとうと思った。私って、昔からそういう自虐的なところがあるのよ」

私は頷かなかったけれども、わかるような気がした。

「そうしたらね、山口さんってもうひっくり返るぐらい驚いて、驚いた後逃げるのかと思ったら大喜びしたの。そして絶対に責任をとるからって。私、あの人と奥さんが結構うまくいってるのを知ってるから、やめて欲しいって言ったのよ。だけどあの人はね、折をみて女房には絶対に話す。どんなことでもするから絶対に産んでくれって……」

この最後の言葉は私にはつらかった。私は自分の中にあるありったけの理性というものを探し出し、紡《つむ》ぎ出し、幾つかの言葉をつくった。

「事情はわかったけれども、真弓ちゃん、あなたの気持ちはどうなの。本当に山口っていう男と結婚して、一緒にやっていく気なの。それより以前に、あなた、あの男のことを愛してるの」

「わからない。わからないわよ」

初めて素直な顔になり、べそをかいた。

「それがわからないから、私もこんなに悩んでるのよ」

「私、口はばったいようだけど、そんな風にして始まった結婚が、本当に幸せなのかしら。自分の気持ちもわからないまま、子どもが出来たからって、結婚していいのかしら。これが若い人のことだったら何も言わないけど、あなたたちはいい年だし、山口には奥さんだっているのよ」

「実はね、私、それでもいいかなあ、って思うようになったの……。エミ子さん、私のことなんてだらしない女だって思ってるだろうけど、こんな風にだらしなく結婚が決まるのも、私の運命かもしれないって、私、思うようになったの」

運命という言葉が出てきて、私にもう何が言えただろうか。南の島で、そう好きでもない男と抱き合ったのも運命。その時たまたま避妊していなかったのも運命。男が大喜びしたのも運命。その運命とやらは、ただひとつ大きな方向を指さしているだけなのだ。

その男と結ばれ、子どもを産み家庭をつくるのだと。そう悩むことはない。世の中のほとんどの夫婦は、いいかげんに結ばれているものなのだから。

目の前の女、真弓もただ幸せになりたいのだ。すべてのこんがらがっているもの、矛盾するものに目をつぶり、運命という言葉を遣うことにより幸せになりたいのだ。そう、単に幸せになりたいのだ。

このことは私を打ちのめした。本当に大きく私を打ちのめした。

「私はもう、何も言わないわ。ただね、一日も早く、あっちの奥さんに本当のことを教えてあげて頂戴《ちょうだい》」

「ええ、わかってます。彼の方も、今はタイミングを見はからっているって」

マンションを出たとたん、あたりは薄い白いものが漂っていた。小雨が降り始めたのだ。タクシーが来ないだろうかと少し待ち、私は歩き始めることにした。真弓のところへ戻って傘を借りることを考えたが、それでは少し間が抜けている。

歩きながら、ウンメイという言葉を口にしてみた。私が発音すると重みはまるで消えていた。真弓のあの迫力は、やはり妊《みごも》っていた女だったからだろう。

十二年前のこと、奇妙な出血に悩まされた私は、産婦人科へ行った。そこで子宮癌《がん》を宣告されたのだ。まさか二十代の若さで、そんな病気になろうとは考えもしなかった。医者の診立《みた》てでは、初期のうちに手術をすれば、妊娠にも影響ないということだった。それなのに紹介された大学病院で、私は子宮の摘出を言われたのだ。

「子どもなんて関係ないよ。夫婦ふたりだけで楽しくやる人生だっていいじゃないか」

という山口の言葉を、私はどこまで信じていいのかわからなかった。私があれほど人の心を疑ったことは、後にも先にもない。

「この男の口にしていることは、思っていることとは違うのではないか」

「いや、この男は自分の真実と違うことを思い込もうとしているのではないか。自分の言葉が、もう自分の心を裏切っているのではないか」

離婚を言い出したのは私の方だ。そんなことを言わないで、あの子と添いとげて頂戴。あなたはうちの大切なお嫁さんなのだから、と言った山口の母の顔が、あからさまに安堵に溢《あふ》れていたことを私は昨日のように思い出す。

それにしても、彼は約束を守ってくれた。私の手術のこと、私が子宮を持っていない女だということを、自分の妻にも言わなかったのだ。そして自分の子どもを孕《はら》んだ女にも口にしなかった。おそらく彼も悩んでいたのではないだろうか。

この十二年間というもの、私は秘密を、卵を抱くようにしてずっと生きてきた。その頑《かたく》なさが、多くの女をして私に秘密を語らせたのかもしれない。

「ウンメイ」ともう一度口にする。こんな風な夜が来ることを、ずっと前から私は予感していた。それが私のウンメイであった。

第五話

いずみと美由紀

最初に私のところへやってきたのは、野口いずみであった。売り出し中の若いイラストレーターが私のファンということで、編集者が連れてきたのである。

「この頃のイラスト描く子は、みんな可愛いじゃないですか。だけどいずみちゃんは抜群ですね。ちょっとタレントにも、あんな可愛い子はいませんよ」

という編集者の言葉どおり、私の前に現れたいずみは、本当に愛らしい容姿をしていた。特別に色白の女に見られるように、すべてが淡く茶色がかっている。髪は染めていたが、眉も瞳もすべて茶色がかっていた。どんなビューラーやマスカラを使ったら、これほどぴんとはねさせることが出来るだろうかと感心する睫毛《まつげ》が、濃い影を頬《ほお》につくっている。彼女が何かものを言うたびに揺れる影。たいていの人は、その影にまず目を奪われるに違いない。

いずみは、自分のこの甘ったるい美しさをよく知っていたようだ。業界の女にありがちなモード系の格好はしていなかった。髪にやわらかいカールをつけ、フレアのスカートというでたちであった。決して流行遅れではないけれども、先端の空気をうまく避けている。

彼女の描くイラストも全くこれと同じだ。目の大きな少女たちが、お喋《しゃ》べりをしたり、お茶を飲んだりしている。広告に使うにはやや野暮ったい感があるが、ちょっとした文章をつけて本にすれば、そこそこに売れそうである。実際いずみは、もう二冊のイラスト集を出しているのだ。この外見のせいもあり、若い女の子たちに人気が出始めているらしい。

いずみは初対面にもかかわらずよく喋べった。

「私、前からずっと竹下さんのファンだったんです。ほら、ずうっと『クルミマガジン』に連載持っていらしたでしょう。私、毎週切り抜いていたんですよ。私がこの仕事をしているのも竹下さんのおかげだと思っているんです」

媚《こ》びたり、世辞を言っている風には見えなかった。幼ない頃から皆に愛され、思ったことはすべて口に出してきたのだという自信と無邪気さに溢《あふ》れていた。それはむろん嫌な感じではない。こんなに可愛らしい娘だったら、それは当然の権利だろう。

彼女は私のアトリエからなかなか帰ろうとせず、私は近くのイタリアンレストランへ誘い出した。意外なことに、彼女はとても酒が強かった。またたく間に生ビールを中ジョッキで二杯飲む。その後はワインを注文した。

「いずみちゃんは、すっごい酒豪なんですよ」

先ほどから、芸能プロダクションのマネージャーのような口調になっている編集者が、とりなすように言う。

「底なし、っていう感じで飲むもんな」

「だって私、お酒を飲むのがいちばん楽しいんだもん」

アルコールが入っても、いずみは全くというほど変わらない。見惚《みと》れるほど白く長い首すじが、ほんのり桃色になったぐらいである。

「そんなことないでしょう。いずみちゃんぐらい可愛い女の子だったら、いくらでもボーイフレンドはいるでしょう」

いつのまにか私は、彼女のことを〝いずみちゃん〟と呼んでいる。会ったばかりで苗字《みょうじ》ではなく、必ず名前で呼ばれる女の子がいるが、いずみもそうしたひとりであった。

「そんなことはありません」

睫毛をしばたたかせるから、影がまた何度も揺れた。

「いつも私って、飲むのは女友だちなんです。それもいつも同じ女の子。美由紀《みゆき》っていうんですけど、二人でぶーたらぶーたらしながら飲むのがいちばん楽しい……。あ、そうだ」


素晴らしいことを思いついた、という風に彼女はフォークを持つ手を止めた。

「ねぇ、今度美由紀を連れてきてもいいでしょうか、美由紀も竹下さんのファンなんですよ、本も何冊も持っているし」

「竹下さんはお忙しいから悪いよ」

編集者の言葉など少しも意に介さず、

「ねぇ、いいでしょう」

と私の顔を見上げた。小柄な娘でもないのに、そうすると目の大きさと、ふつうではない睫毛の長さがはっきりとわかる。私はふと仔猫《こねこ》にじゃれつかれ、すり寄ってこられた感触を思い出した。

「いいわよ。いつでもいらっしゃいよ」

仔猫をはらいのけられる人間がどこにいるだろうか。二週間もしないうちに、彼女はその〝親友〟を連れて私のところへやってきた。彼女が佐藤美由紀であった。

「これが私の親友の美由紀です」

といずみは言い、私は若い女の口から「親友」という言葉を聞くのは久しぶりだと思った。なんのてらいもなく、いずみはこの言葉を連発した。こちらの方が照れくさくなるほど何度もだ。

「私と美由紀って、ずうっと子どもの頃から親友をしているんですよ」

初めて会ったのは、幼稚園の入園式だという。彼女たちは誰でも知っている、有名なお嬢さま学校に幼稚園から通っていた。そして美由紀はそのまま女子大へ進み、いずみは美大へ進学した。

「美大へ行くなんて、すっごい変わり者の不良って思われて、みんな口をきいてくれなくなったんです。でも、美由紀だけは励ましてくれて嬉《うれ》しかったな」

「ずうっと一緒だったいずみと別れるのはつらかったけど、彼女のやりたい道だから仕方ないと思いました」

二人の会話を聞いていると、トレンディドラマのワンシーンを見ているような気がしたものだ。あるいはレディスコミックの一場面か。若い女がじゃれ合っている光景を、目の前の二人がうまく演じているような気がしたからだ。

そんな奇妙な感じにとらわれたのも、美由紀が平凡な容姿をしていたからに違いない。ほどほどの大きさの目と唇、中肉中背と、彼女の中には過剰なものも、足りないものも何も無かった。

いや、もしかすると一人でいれば、なかなか綺麗な女、という評価を得たかもしれないけれども美由紀の傍《そば》にいるのは、飴細工《あめざいく》の人形のような姿かたちを持つ女なのだ。おそらく多くの人たちが、この取り合わせが、あまりしっくりこないと感じるだろう。

私も同じことを思った。あまりにも美しい女というのは、女友だちなど持てない運命にあるのだ。女たちは彼女のことを、嫉《ねた》み、そねむだろう。もし仮に友情を結んだとしても、それはかなり陰湿なものではなかろうか。女二人の容姿に、あまりにも差があるというのはつらいものだ。美しくない方の本人もつらいかもしれないが、見ている方もつらくなる。いつか二人のもとに訪れる、破局という死のにおいを感じとってしまう……。

「私たち、いつも一緒に飲むんですよ」

いずみが楽し気に言った。

「ケイタイ鳴らして、すぐに来てくれるのは美由紀しかいませんからね」

大学を卒業した美由紀は、いったんは銀行に勤めたものの、すぐに嫌気がさして退職した。派遣社員として、いろいろな会社に行くけれども、少しお金が貯まるとしばらくは何もしないで家にいるという。美由紀の父親は開業医をしていて、そういう娘のだらしなさをむしろ微笑《ほほえ》ましく眺めているようだ。

「美由紀のパパってお小遣いをくれる時に言うんですって。これでいずみちゃんと飲みなさいって」

「そう、うちのパパって、昔からいずみのファンなんですよ。彼女が来る日は、そわそわしちゃうくらい」

こうした会話は、二十五歳の女とは思えない幼なさである。私の中で、意地の悪い好奇心が湧《わ》いてくる。この二人に真実を聞いてみたい。特に美由紀の心を知りたいのだ。

「ねえ、正直に言いなさいよ。あんなに綺麗な子と一緒にいれば、あなたはきっと添え物になると思うわよ。それでもいいの。もちろん嫌よね。あなたはおそらく、自分をこんなにみじめにさせるいずみのことを憎んでいるんでしょう」

私は口にすることのない質問を、何度か舌の上にころがした。もちろん口に出来る質問ではない。

いずみよりもやや控えめで、それでも充分に快活な美由紀は、先ほどからつまらぬジョークを口にして私を苦笑させる。なかなか魅力的な女であるが、それにしても到底いずみの足元にもおよばない。いずみは気のきいたことを言うわけではないが、喋べり出すとその場の人々は、首を彼女の方に傾けることになっている。彼女が幼児で、カタコトを喋べる頃からそういうことになっているのだ。

こういう女の傍で、青春を過ごすのはどれほどしんどいことだろうと私は思った。自意識とプライド、そして意味もなく押し寄せてくる劣等感に、心がぱんぱんに張っている時期だ。この世は自分中心にまわっていると思う。そうあってほしいと思っている最中に、それが大きな間違いだと知らされる屈辱は私にも憶《おぼ》えがある。美由紀の場合は、それをいずみによって、しょっちゅう思い知らされるわけである。

いずみのような女とつき合うには、二とおりの道しかない。ひとつはひたすら付き人兼ピエロに徹してしまうことだ。これは見る人に痛々しいものをもたらすが、世の中この役まわりをしている者は案外多い。

もうひとつは、美しい女の持っていない能力によって、相手方を圧してしまう方法である。知的とか才女と呼ばれる女と、美しい女とのつき合い方である。

けれども美由紀といずみの関係は、この二つのどちらとも違っていた。主従関係もないし、美由紀がいずみに気を遣っている風にも見えない。それではごく自然に友情を結んでいるのかと思うと、どこかぎくしゃくしたところがある。これは二人の容貌《ようぼう》の差なのだろうか。

やはり、いずみは罪なことをしている。彼女が親友として選ばなくてはいけないのは、自分と同じぐらいか、やや落ちる程度の女なのだ。

いずれにしても落ち着かない二人だと、私はいずみと美由紀の二人を見た。その日の私は、やや機嫌が悪かったと思う。そう美しくないということで私は美由紀に同情し、彼女をこんなめに遭わせているということでいずみに対して腹を立てた。

　この二人は、まわりの人間、特に女たちにさまざまなストーリーを与えてしまう。

　やがていずみの名前をあちこちで目にするようになった。彼女自身がまるで芸能人のようにヘアメイクをして、女性雑誌のグラビアに載っているのを見たことがある。おそらくスタイリストがついたのだろう、彼女の着ているものがあまりにも流行の先端をいっていて、いかにも借り着という感じであった。かえって私は、つくづくいずみというのは自分のことをよく知っている女だと感心した。自分の愛らしさや若さをひき立てるためには、最新の流行のものではなく、やや野暮ったいぐらいのものがずっと効果的だということをよく知っているのだ。いつものいずみは、少々おとなしめのものを好んで着ている。

　そして同時に、私はいずみのあまりよくない噂《うわさ》を聞くようになった。男に対してだらしない、顔に似合わず大胆なところがある、という話を、私がはなから信じたわけではない。世の中に出てくる綺麗な女に、この手のスキャンダルはつきものなのだ。男たちの願望と、女たちのやっかみとが混ざり合って、こういう物語がつくり出されるのである。

　けれども私は、ある信頼出来る編集者から、はっきりと具体的な話を聞いた。大手出版社に勤める彼は、業界の男にありがちな軽さや、多くの人が社交と思い込んでいる噂好きなところがない。品のいい、ごくおとなしい青年である。その彼が声のトーンを落として、幾つかのことを私に伝えた。

「まあ、彼女も可哀想なんですよね。タレント並にものすごく可愛いイラストレーターっていうことで、いろんなところに出まくっていますからね。それにしても、ちょっと彼女は軽率なところがあるんじゃないでしょうか」

私はそのエピソードを、とても意外なことに聞いた。いずみほどの魅力があれば、男に対してもっと出し惜しみするのではないだろうか。

簡単に男と寝るのは、ほどほどのレベルの女である。美しくない女は劣等感のために警戒心が強い。美しい女は、自負のためにさらに警戒心が強い。いずみのしていることが本当だとすれば、彼女はかなり奇妙な性癖の持ち主といえるだろう。

その日、偶然いずみからのメールが入っていた。

「すっかり秋めいてきましたね。ご無沙汰《ぶさた》して申しわけありません。私は何だか大きな渦の中に放り込まれたようで、毎日あっぷあっぷしながら暮らしています。

エミ子さんに会って、いろんな話を聞いていただきたいです。美由紀とも会ってはそのことばっかり話しているんですよ。近いうちにお時間をつくってくださったら幸いです」

私は二人のために、ディナーをすることにした。親しい人には笑われるのだけれども、私の料理に対する情熱は、周期的にやってくる。そしてそれは、春の終わる頃と秋のはじまりなのだ。八百屋の店先にとたんに色が溢れ出すこの季節、私はとても冷静ではいられない。ズッキーニ、カボチャ、チキンをオーブンで焼いてみたり、栗のパイをつくったりする。さつま芋《いも》で茶巾《ちゃきん》しぼりをつくるのに熱中したこともあった。だからよく友人を招く。この季節だけ私は、料理好きの女ということになるのだ。

いずみ、美由紀とのディナーは、女三人だけだから野菜中心のシンプルなものにした。蒸したナスのマリネ、秋野菜のラタトゥイユ、トリ肉とモヤシを包んで揚げた春巻き、イカとセロリの炒めもの、私の得意のチャーシュー、そして最後にシメジの炊き込みご飯も用意した。

二人は土産《みやげ》に赤と白のワインを一本ずつ持ってきてくれたが、ほとんど自分たちで飲み干した。私はもう一本赤のイタリアンワインを抜く。

「あーあ、いい気持ち。本当にいい気持ちだわ」

若い女二人は、私の部屋のベランダに出た。中秋の名月には少し早く、雲の膜からいびつな玉子の黄身のような月がゆっくりと移動していた。

「今度はウィスキーを飲まない？　私、お客のために種類だけは揃《そろ》えてあるのよ」

声をかけたけれども、二人はもう少しそうしていたいと言う。こうして月の光を浴びていると、いずみの可憐《かれん》さはいっそう際だってくる。陶器のようななめらかな肌に、大きな瞳は酔いのために濡《ぬ》れたようにさえざえとしている。半ば開いた唇からは、おとぎ話の姫のように花びらがこぼれてきそうだ。男だったらこんな夜、誰でもいずみの肩を引き寄せるに違いない。

私は思わず彼女に向かって言った。

「いずみちゃんって、本当に可愛いわね。ちょっと人間とは思えないぐらい可愛いわ」

「それって、私が怪物みたいじゃない」

くすっと笑う。

「そんなことないわよ。まあ、シチュエーションもあるんだけど、今、現実離れした可愛さに見えたわ」

「そう、本当にそう。いずみって可愛いと思う」

美由紀がベランダからこちらに向かって歩いてきた。カットソーにパンツといういでたちの美由紀は、健康的な若い女という感じだったがそれだけであった。月の光を味方につけるニュアンスが、彼女には全くなかった。

「私、ウィスキーをいただきます」

どすんとソファに腰をおろした。

「贅沢《ぜいたく》かもしれないけど、ロイヤル・サルートがあったら嬉しいな」

「まあ、生意気なリクエスト。だけどあるわよ」

私が差し出した高価な酒を、彼女は適度な速度で飲み干していく。酒の飲み方を、誰か年上の男からでも教わったのだろうと私は思った。二人でしばらく、ベランダのいずみを眺めるような格好になった。何か考えごとを始めたのか、いずみは口を閉じて空を眺めている。そうしながらも、私たちを意識しているだろうことは、肩の角度でわかった。

「ねぇ、エミ子さんは、私がどうしていずみと仲がいいんだろうって、ずっと思っているでしょう」

そうねと私は素直に頷《うなず》く。こんな月の夜、鋭そうなこの若い娘から問われて、誤魔化《ごまか》したり茶化《ちゃか》したりは出来そうもなかった。

「私、初めから感じていました。いえ、エミ子さんだけじゃありませんから。たいていの人が思うんですよ、私みたいに平凡な娘が、どうしていずみと親友でいるんだろうって」

「それはそう不思議じゃないわ。水や空気みたいに、年頃の女の子に女友だちは絶対に必要だもの。美由紀ちゃんの場合、それがいずみちゃんだったっていうこと。でもね、いずみちゃんみたいな女の子とずうっとつき合うっていうのは、結構大変なことだろうってみんな思うんじゃないかしら」

ここにくるまでは、かなり大変なこともあったんですよと、美由紀は語り始めた。

学園の付属幼稚園に入園した頃から、いずみのことは有名でした。入園式の時、お人形みたいに綺麗なコがいて、思わず見惚れちゃったって、母が父に話していたのを憶えてます。

でもいずみって、いじめの寸前ぐらいまでされてたんですよ。なんとはなしに、みんなが近づかない時期が長かったんです。だっていずみの傍にいると、絶対主役はまわってこないっていう感じじゃないですか。

だけどそういう時期が過ぎると、今度はいずみのところへ何人か寄ってくる。彼女がいると、グループ全体のクオリティが上がりますからね。近くの男子校の学園祭へ行っても、扱いがまるっきり違いますもの。

いじめられたり、やたら寄ってこられたり、無視されたりを繰り返しているうちに、いじけることはないけれど、いずみは諦《あきら》めることを知ったみたい。諦念《ていねん》っていう言葉があるけれども、そちらの方がぴったりくると思うわ。私とつき合い始めた頃、へんに落ち着きはらった中学生だった。そう、私たち幼稚園の時から顔を知っていたのに、話をしたのは中学生になってからだったんです。

いずみの傍で思春期を過ごすっていうのは、今思うとすごいことですね。私は自己顕示欲っていうのもそんなにないし、身の程をわきまえていて、自然にふるまえる女の子、って自分のことを分析していたけれども、やっぱり駄目でした。みんなが「どうして仲よくしているんだ。本当はそういうふりをしているんだろう」って陰で言っているんじゃないだろうかって思ったことさえあります。だけどね、いずみとは本当に気が合ったんです。読む本や好きな歌手なんかは同じじゃないけれども、嫌いな作家や、嫌いな芸能人のことになると、私たちはぴったり意見が合うんです。あのコも私も、インチキっぽいもの、たいしたことはないくせに、自分は特別だと思いこんでる人間に対しては我慢出来ません。でも「嫌いなもの」が同じだっていうことは、すごく大切なことだと思いませんか。嫌いなことで本当のことがわかるんですもの。

　いずみはこんな風に言いました。

「確かに私は可愛いと思う。得したこともいっぱいあるよ。嫌なことはその一割ぐらいあるけど、みんなやっかみだからどうってことはない。だけどさ、私の顔がちょっとばかりいいからって、美由紀が損ばかりしてもうつき合わないっていうんだったら、私は本当に悲しいよ。絶望っていうのを知ると思うよ。だってさ、顔のことなんか私の責任でもないし、私がつくったものでもない。そんなもののためにさ、たった一人の友だち失《な》くすなんて、すっごくおかしいと思わない」

そんな風に言われると、私はやっぱりいずみから離れられないと思いました。私はこのコが本当に好きだなってしみじみと思ったんです。そしてそんなことを思える自分にすごく満足するんです。屈折っていえば確かにそうかもしれないけれど、ああいうタレントみたいに可愛い女の子を、何のくもりもなく好きになれるって、自分はなんていい人間なんだろうって、そんな風にしてこの十年間やってきました。十四の時から十二年、私たちってもう二十六歳になるんですよね。いずみは二十歳そこそこにしか見えないけれども、あのコも私もかなりいい年なんですね。あのコを心の底から好きになるために一生懸命頑張ってきた十二年っていう気がする……。

「私にもウィスキー、ください」

ガラス戸の敷居をひょいと越えて、いずみが部屋の中に入ってきた。手を伸ばして、テーブルの上のアーモンドをとり、静かに齧《かじ》り始めた。

「そうよね、美由紀とつき合い始めてもう十二年になるんだね」

彼女はベランダにいて、私たちの会話を聞いていたらしい。ごく自然に私たちの中に入ってきた。

美由紀の前にも女友だちはいたし、美大に進んでからも仲のいい友だちはいた。でもやっぱり駄目なんだよ。みんな私のことをブローチのように思っていることがすぐにわかったの。

そう、私ってラインストーンのブローチなの。キラキラ光っていてかなり目立つ。みんな朝の鏡の中で、衿《えり》のところへもっていって、つけようかな、どうしようかなって迷うの。つけた方が得かなって思う時はつけて、やっぱりつけない方がいいな、っていう時はつけない。私ってブローチみたいな存在だった、本当に。

美由紀はああいう人たちとまるで違っていた。いつだって、三百六十五日私を必要としてくれたの。だけどね、私、彼女に対して、すごく悪いことをした。一生かかっても償《つぐな》いきれないことをしたのよ……。

「いいのよ、そんなこと」

かん高い声で美由紀が制した。

「あんた、少し酔っぱらっているんじゃないの。そんなこと、喋べらなくたっていいのよ」

ううん、酔っているから言わせて、エミ子さんに私たちのことをもっと知って欲しいんだもの。

私が初めて男の人とセックスしたのは、中学三年生の時よ。そう早いこともないと思う。うちはお嬢さま学校って言われていたけれども、みんなするべきことはちゃんとしてたわ。うちの学校のブランドで、近づいてくる男の子もすごく多かったしね。

初めて男の人と寝た時、すごく嬉しかったのを憶えている。その頃はもう美由紀と親友だったから、微に入り細にわたって話したわよね。やっぱり初体験の前に、何でも話せる女友だちをつくるのは大切だって、へんなところで感心した。

でもセックスは結構楽しかったわ。相手の男の子は、私と寝た感動のあまりぼうっとしてる。セックスは案外私に合っているかもしれない、もしかしたらハマるかも、と思っていたけどそのとおりになった。私はかなりの数の男の人と寝ることになった。

しばらくたって、私は自分のよくない癖に気づいたわ。それはそういうことをすると、必ずトラブルが起きるという男としてしまうこと。

美由紀も知っていると思うけど、十八歳の時にかなり本格的な恋をした。相手の男の子は、うちと兄妹校となってる男子校の三年生。入試という逃れたいものがあるせいか、私たちはすぐに恋にのめり込み、お互いに夢中になった。だけどね、すぐに別れはやってきた。よくある話だけれども、彼の成績が下がったのを私のせいだって、むこうの親が言い始めた。そんならもう会わない、一生会ってやるもんかって、貰《もら》ったものも全部返したわ。そうしたら彼はあわてた。いずみなしじゃ生きられないから、やっぱりつき合おうっていうの。

　許してくれ、許すもんか、っていう手紙や電話がいきかったけど、その仲介をしたのが彼の親友だったの。私は「アンドウ」って呼び捨てにしてた。今どき珍しいニキビがいっぱいあって、眼鏡をかけているおよそさえない男の子だった。

　彼は律儀《りちぎ》にも、手紙を毎日届けてくれた。あいつの気持ちをわかってくれよって、いかにも親友ぶって、それがすごく芝居くさかった。でもね、私を見る目が光ってるの。私の恋人の男の子のことが、羨《うらやま》しくて妬《ねた》ましくてどうしようもないって目なの。私はその時、ふと思った。この男と寝るのって、どういう気分なのかなあって。そしてそれをどうしても知りたくなったから、アンドウと寝たの。恋人の方は気づかなかったかもしれないけど、その後アンドウにつきまとわれて大変なことになったわ。

　そうね、アンドウがきっかけかもしれない。何もこの男と寝ることはないのに、と思う男としてしまうの。魔がさす、っていう言葉があるけれどもあれとも違う。よく子どもが、よせ、よせって大人に騒がれるほど、道路の端っこや池の近くにいくでしょう。あれと似ているかもしれない。

美大に入ってからは講師の何人かと寝た。アルバイト先のオーナーとも寝た。すごく世話になった先輩の恋人とも寝た。こんなことを言うとインランに聞こえるかもしれないけれど、手あたり次第、っていうわけじゃないの。この男の人とセックスするのはいけない、間違っているって思う男の人とついしてしまうの。私から誘ったことになるのかなあ……みんな最初は信じられないっていう表情になるけど、すぐに大喜びするわ。その変わりようを見て、なぁんだと思う。それも気に入っているかもしれない。

エミ子さん、ここまで話して気づいたと思うけど、私がいちばん寝ちゃいけない男は、美由紀の恋人なのよ。これだけはしちゃいけないって、ずうっと自分に言いきかせた。これをしちゃ、あんたは最低の人間になるんだよって。

あれは大学へ入って初めての夏休みよ。私とその頃つき合っていた彼、美由紀と恋人のエグチ君との四人で旅行へ出かけたわ……ううん、美由紀、話をさせて頂戴《ちょうだい》よ。そりゃあ、あなたにとって思い出したくもないことだろうけれども、やっぱりちゃんと喋べらなくてはいけないと思うの。私たちの試練について。

行き先は軽井沢の別荘だった。当時の私の恋人だった人のお祖父《じい》ちゃんの持ちものよ。彼のお祖父ちゃんは大臣までいった人で、八十過ぎた当時でも結構えらそうに振るまっていることで有名だった。その時そのお祖父ちゃんは、どこかの国に招待され勲章を貰うために成田から飛び立っていたの。おかげで私たちは別荘を自由に使うことが出来たわ。

いつもなら老人の息と薬のにおいしかしない別荘を、私たちの笑い声で充《み》たした。美由紀の彼は早稲田の学生で、この別荘に泊まるのを遠慮して、寝袋を担いできてたの。庭だろうとどこでも大丈夫だよ、と笑って、その横顔を見ていたら、ちょっといいなと思った。私の場合、いいな、っていうのは寝てみたいな、っていうことと同じ。だけど美由紀の彼だけは絶対にいけないと、すぐに考えをふりはらおうとしたわ。

私は美由紀に本当に感謝している。彼女がいなかったら、私の少女時代はどんなにゆがんだものになっただろう。子どもの頃は、女の子たちが争って、私と仲よくしたがったものだ。たどたどしい手つきで髪を結ってくれたり、リボンや人形をプレゼントしてくれた。それなのに、ある時から私はひとりぼっちになってしまった。たまに近づいてくるコは、まるで魅力がないか、単に私の友人、という肩書をちょっと手に入れてみたいと考えるようなコばかりだ。

美由紀が私に、長電話や打ち明けごっこの楽しさを教えてくれた。連れ立って街を行き、男の子の誘いをうまくふりほどく冒険も、彼女がいてくれたからよ。その親友の彼と寝たいと思うなんて恥知らずもいいところよね。

けれども決して触れてはいけないと思えば思うほど、私の恋心はつのるようになったの。

いや、恋心とは言えない奇妙な執着心よ。子どもの頃からそうわがままだったわけではない。甘やかされ、どんなおもちゃでも手に入らなければ泣きわめく、といった子どもではなかったわ。

それなのにセックスを経験するようになってから、私の中で傲慢《ごうまん》さが生まれた。私の魅力と、セックスの魅力とをかけ合わせれば、この世で手に入らない男はない。本当にそう。現に私は、男の人から一度も断わられたことはない。私がちょっとそのように仕向けると、すべての男が態度を変えた。いちかばちかという勇敢さでのぞんでくる。そういう時、私は満足と嬉しさのあまり胸がいっぱいになり、同時に虚《むな》しくてたまらなくなったの。私はむずかしい男に挑み、そしてすぐにかなえられる。さらにむずかしい男と思うのだけれども、難なくたどりつくことが出来、私は次第にジャングルの奥へと入っていくのよ。そしていちばん奥の秘境で出会ったのが、美由紀の彼だったんだ。

でも信じて欲しいのだけれども、私は賭《か》けをしたの。美由紀の彼が、私を拒否してくれることに賭けたの。

「こんなことをしちゃいけないよ。だって君は美由紀の親友だろう」

私は彼がこう言ってくれ、私の手をはらいのけるのを、どれほど願ったかしら。そうしたら美由紀に謝るつもりだった。

「ごめんね、私のいつもの悪い癖が始まってさ、彼にちょっとちょっかい出したの。でもケンもホロロ。美由紀の彼って、やっぱり美由紀のことを愛してるんだね。あんな男の人初めてだよ」

もちろん美由紀は怒るだろう。けれどもすぐに私のことを許してくれるに違いない。そしてこのことをきっかけに、私たちの絆《きずな》はさらに深まるのだ、などということを夢みていた私はなんて愚かだったんだろう。

別荘から帰った四日後に、私は美由紀の彼とベッドを共にした。それで済めばよかったけれども、彼は私に夢中になった。美由紀と別れるからつき合ってくれ、と言い出したの。バカな男は、私に対する欲望で後先が見えなくなり、美由紀にすべてを打ち明けた。そして私はいちばん大切なもの、美由紀を失なったのよ……。

いずみは精神が病んでいると思いました。彼女のうちは、今でこそふつうだけれども、子どもの頃は問題があったんです。いずみのパパが、外に女の人をつくって出ていったんです。そんな経験をしている女の子はいっぱいいるけれども、いずみの場合はなまじものすごく可愛いから、おかしな具合にねじまがってしまったような気がします。

彼からいずみとのことを打ち明けられた時、心の中でやっぱりとつぶやく声がしました。

十四歳の頃から、私はこんな日がいつか来るような気がしていたんですね。

私はいずみのことを激しく憎みました。けれどもそれは彼女に裏切られた、というのではないような気がします。なぜなら私は、彼女のことを少しも信じてはいなかったからです。それよりもいずみが、私の予想したとおりに行動した、ということがやりきれなかったんです。

そう、私は彼とつき合っている最中も、こうなることがとっくにわかっていたんです。

「あんたみたいにサイテーのインラン女と、つき合ってあげたのは私ぐらいじゃないの」

と私は叫びました。

「あんたって、性格もすべてサイテーよ。その悪さって、ちょっと病気よ。一度病院でみてもらった方がいいんじゃないの」

ふつうならそこで絶交ということになるのでしょうけれども、私たちはそうならなかったんです。

どこまで本気かわからないけれど、いずみは自殺未遂のようなことをしました。いずみのママから電話がかかってきて、

「ベッドの傍のテーブルに、美由紀ごめん、美由紀ごめん、っていっぱいサインペンで書いたスケッチブックが置いてあったのよ」

って泣きつかれました。でも私、あれってそんなに本気でやったとは思えないんです。カゼ薬を少しぐらい多く飲んでも死にはしないって、わかってやってたんじゃないでしょうか。

あの事件から半年過ぎて、私もちょっと正常に戻っていました。新しい恋人も出来て、彼にすべてを話したら、絶対に許してあげるべきだよって言われたんです。

「前の彼と寝たっていうのは、その女の子の嫉妬心《しっとしん》なんだよ。美由紀のことが好きで好きでたまらないから、美由紀に恋人がいるのが我慢出来なかったんだよ。その男に近づくことによって、美由紀と別れさせようとしたんだ。これは変形した別の三角関係だよ。彼女のことを許してあげなさい。そのくらい君のことを愛しているんだよ」

女同士のことに、愛などという言葉を遣ったので、ちょっとへんな感じがしました。え、その彼はすごく年上だったんで、こういう時に大人の意見を言うんです。

それから三ケ月たって、やっと私たちは会うことになりました。いずみはちょっと痩《や》せてしまったけれども、ますます可愛くなってました。

夏のことで、私今でも憶えているんだけど、グレイのノースリーブのワンピースを着ていた。きゃしゃな腕とやわらかくカールした髪があまりにも綺麗で、なんだかつくりものめいて見えたぐらいです。私は思いました。

「この女に、私が勝てるのは何なんだろうか」

それを見つけないことには、私は一生みじめなままで、いずみとも元のようにはなれません。

「ごめんなさい、どんなことでもするから許して頂戴。私ね、美由紀がどんなに大切な人か、ようくわかったの」

いずみは青ざめた顔で言いました。あれは本気だったと思う。唇がぶるぶる震えていました。

「この女より、私がすぐれているもの。この女がずうっと持てないで、私が持てるものは何だろう」

それは真実の恋かもしれないと、当時恋愛まっただ中の私は思ったのです。いくらもてるといっても、男と長続きしないいずみ。彼女は一回か二回その人と寝ると、それで気が済んでしまうのです。

そこへいくと、私は何て幸福なんだろうと、あの時の私は優越感でいっぱいになりました。相手を傷つけちゃいけないけど、自分を傷つけることはもっといけないよ、と言って送り出してくれた恋人のことを思い出したのです。

「ねぇ、どうやったら私のことを許してくれるのかしら。許してくれるんだったら、私はどんなことでもするわ」

いずみが言い、私はどんな罰を与えようかと考えをめぐらしました。いずみが絶対に、本物の恋をしませんように。一生真実の恋というものにめぐり会いませんように。私は呪《のろ》いをかけました。

「いずみは今のままでいいのよ」

えっと驚く顔がありました。

「今のまま、自由好き勝手にやってるのがいずみらしくっていいわ。その代わり条件があるの。また私の彼を盗《と》られるのイヤだから、もっと他の男と遊んでちょうだいよ。ノルマをつけるわ」

私は迷いました。三人だとまるで娼婦《しょうふ》のようだし、ひとりだと本気になる可能性があります。

「ひと月に、二人の男の人と絶対に寝て頂戴。絶対によ。あなただったらラクショウでしょう。そのくらいのことをしてくれてもいいはずよ」

あれから七年たちますが、いずみは律儀にその約束を果たそうとしています。そして私はあの時の彼とも別れました。私もまた真実の恋というのに出会っていないのかもしれません。

でもそんなもの、本当にあるんでしょうか。ないと知っているから、いずみも私の与えた罰をせっせとこなしているのかもしれません。

第六話

実和子

実和子《みわこ》を一回でも、私の友人に会わせると、たいていの人たちはこう言うのだ。

「どうしてあの子が、あなたと仲がいいの」

確かに彼女のような種類の女は、私のまわりではめったにおめにかかることはない。

実和子はカトリック系の女子大を出ている。ここはお嬢さま学校として有名なところで、特に下からエスカレーター式に進級した女たちは、育ちのいい令嬢ということになっている。ここの学校名を聞いただけで、舌なめずりするような男もいるぐらいだ。けれども私は、そのことについてはかなり疑問を抱いている。仕事柄、いろんな女たちに会う。あそこの学校の卒業生というのも編集者に何人かいる。確かに彼女たちは品もよく、身のまわりはいつもいきとどいている。特に髪の美しさといったらどうだろう、コンサバ系の女たちの髪を大切にすることといったら、とてもモード系の女の比ではない。髪は女らしさ、自分の体に対して心をつくしていることの証《あかし》である。少女の頃から、彼女たちはせっせと有名美容院へ通い、トリートメントをしてもらっていたのだ。艶《つや》のある一筋の乱れもないという髪は、まさしく彼女たちが望む人生そのものだろう。私は彼女たちの、男性観というよりも、値踏みの仕方に辟易《へきえき》することがある。

彼女たちにとって、学歴や一流会社の肩書を持たない男というのは、全く何の価値も持っていないかのようである。恋をしたとしても、彼女たちは必ず自分の行動半径の中で選ぶ。しかも計算しているというのでもなく、それは彼女たちにとってあたり前のことなのだ。

私は今さら、人の生き方を否定しようなどとは思わない。そういう女たちがいるのは百も承知している。けれどもおそらく、私の友人として迎え入れることは出来ないだろうとは感じていた。そういう私の思いを知っているからこそ、友人たちは実和子とのことを驚くのだ。

実和子は、トップ企業とはいわないまでも、かなり大きなハムやソーセージをつくっている会社の経営者の娘である。そこは同族会社であり、経営権は身内がまわり持ちで持つことになるらしい。

「ですから、今は私の父が社長をしてますけど、次は叔父になるかもしれないし、あるいは従兄《いとこ》になるかもしれない、商店にケが生えたような、本当にその程度の会社なんですよ」

実和子は言う。金持ちの娘にありがちな謙遜《けんそん》というものではなく、自然に言葉がこぼれてくるように淡々と口にするのである。これが私が彼女を気に入っている理由なのかもしれない。彼女は思っていることをすぐ口にする。いや、思っていなくても口にすることで何かを生み出そうとしているようなところがある。率直というのでもない。悪い言い方をするとタガがはずれているのではないかと心配になるほど、彼女の中には、言葉をせき止めるものが存在していないのだ。

「うちの祖父っていうのは、どうしようもないぐらい女好きだったみたい」

ある日、ランチのパスタを食べながら、不意に彼女は喋《しゃ》べり始めた。

「そもそも、うちってひいおじいちゃんが他人の会社を乗っとったところから出発してるんですよ。ほら、明治の頃って、外国に留学していたエリートたちが、帰ってきてから酪農を始めたじゃないですか」

「あら、そうなの。その頃の歴史は知らないわ」

「そうなんですよ。うちは創業明治四十二年だとか言ってますけど、それは番頭していたひいおじいちゃんが、男爵だか子爵のつくったハム会社を乗っとった年なんですよ。もっともそれを大きくしたのがひいおじいちゃんなんですけどね」

戦前まではパッとしなかったが、戦後その会社のハムはすごい勢いで売れ始めた。金持ちになったひいおじいちゃんの長男、つまり実和子の祖父は、二代目として家業に精を出したが、それと同じくらい女遊びにも熱中したという。

「芸者さん、ふつうの女性と、見境なかったそうです。うちの叔父は、父とは年が離れていて、しかも母親が違うんです。祖父がお妾さんに産ませた子どもなんですよ」

彼女のお喋べりは、露悪すれすれのところで自分のところへも及ぶ。つき合っている彼についても実和子はこんな風に語っていた。

「私とセックスする時、かなり緊張しているのがわかるんです」

「あら、どうして」

「決まってるじゃないですか。うまく出来なかったらどうしようっていつも考えているからですよ。プライドのすごく高い人ですからね、セックスの時もいろいろ考えるんじゃないですか」

仕方ないから終わった後に、すごくよかったと言ってやるのだそうだ。

「だけど言ったら言ったで、君はすごく経験があるんじゃないかって疑うんですよ。あんな風に頭がいい人って、どうしてセックスを、あんなに試験みたいに考えるのかしら」

その実和子が学生時代からつき合っていた男と結婚することになった。

「私だって、いろいろ考えたんですよ」

私にそのことを告げた時、実和子はまるで大きな不満を抱いているかのように唇をとがらせた。

「彼とは学生時代からのつき合いでしょう。飽きる、っていうのでもないけれど、もっと別の人がいるんじゃないかって誰でも思うじゃないですか。だいいち医者と結婚するなんて、ありきたり過ぎて恥ずかしいですよね」

なんでも実和子のクラスメイトのうち、十一人が医者を選んでいるというのだ。

「見合いの子は、はっきり見合いっていうからまだすっきりしてるんだけど、なんか中途半端な人たちって嫌ですよね。自分は恋愛だった。知り合って好きになった男が医者だったって言うんだけど、あれって違うと思うわ。だって学生の頃から、みんなせっせと医大生との合コンに精を出してたもの。その医大もランクつけて、あそこは本気でつき合う相手じゃないとかあれこれ言ってたんですよ」

でも私の場合は、もっとタチが悪いかもしれないわと実和子が話し始めた。

「向こうのお母さんと、うちの母とがゴルフ仲間なんです。学生時代からやたら会わされて、そういう風に仕向けられたっていう感じ」

男は有名医大の創立者の家系だ。一族に学者に医者、それも一流大の教授クラスがずらりと並ぶ。

「所詮《しょせん》うちはハム屋で、成り上がりじゃないですか。両親もはっきりと言わないけれども、コンプレックスがあるんです。私をそういう家の息子に嫁がせたいんです。姉がふつうの男の人と結婚した時は、そりゃあがっかりしていたけれど、今回の私のことは大喜びなんですよ」

実和子は私に、彼の写真を見せてくれた。名家のお坊ちゃまというから、ひよわな魅力ない男を想像していたのであるが、そんなことはなかった。背の高いがっちりとした体の上に、いかにも育ちのよさそうな甘い童顔があった。フィアンセは実和子の腰に手をまわし、白い歯を見せている。どこかのゴルフ場で写したのだろう、二人とも白っぽいウェアを着ている。見ているこちらが気恥ずかしくなるほど、選ばれ、恵まれた二人という感じだ。

「とっても幸せそうじゃない」

私はやや皮肉と揶揄《やゆ》を込めて言った。何のかんの言っても、実和子はこういう上質な人生しか歩めない人間なのだ。私にこの写真を見せたのも、結局は自慢したかったのではなかろうか。

「披露宴は帝国ホテルで挙げることになってるんです。私はフォーシーズンズか、パークハイアットがよかったんですけど、あちらのおうちは、代々結婚式は帝国っていうことで、押し切られてしまいました」

「ふうーん」

「エミ子さんは、出席してくれるでしょう」

「申しわけないけど、私、帝国ホテルの披露宴なんて、お尻《しり》がむずむずして何も食べられそうもないから遠慮しとくわ」

「そうですか、残念ですけど……」

その後、実和子は少し黙り込んだ。そして再び発した時は、口調がまるで違っていた。

「エミ子さん、あのね、私ってずっと考えていることがあるんです。これをしなかったら、私、一生後悔するような気がするんです」

彼女は私に強い視線をあてる。細い細いラインが、巧みに入れられた目。長い睫毛《まつげ》。実和子を見れば十人が十人、「美人で品のいい女」というだろう。けれども十分後には彼女のことをうまく思い出せなくなるはずだ。実和子は「美人で品のいい女」にくくられると、それですべてが終わってしまうような容姿をしていた。そんな彼女の内側に、かなり風変わりで強靭《きょうじん》なものが潜んでいることを、たぶん多くの人は知らないに違いない。

「私、結婚するまでに、すごいセックスを体験したいんです。もうイヤッ、と叫ぶぐらいセックスに溺《おぼ》れてみたいんです」

綺麗に塗られたサーモンピンクの唇から、その言葉はゆるゆると吐き出されていく。彼女は全く照れることも、恥ずかしがることもなかった。

「私、お昼はちらし鮨《ずし》を食べたいんです」

と、リクエストするのと全く変わらなかったかもしれない。

「今まで二十八年間生きてきて、私、セックスに狂ったことがないんです。もちろん、それなりの快感もあるし、気持ちもいいですけど、それだけのこと。小説や映画を見ると、もうセックスのことしか考えてないような人たちが出てくるじゃないですか。私、ああいう人たちが、ちょっと羨《うらやま》しいんです。ううん、この頃すごく羨しくなりました」

「ああいう人たちは、特殊な人たちなんじゃないの」

私は言った。

「世の中の人が、みんながみんな、セックスのことばっかり考えているわけじゃないでしょう。たいていの人は、好きな人と二人きりで部屋にいる時インランになるけど、それ以外は淡々としているんじゃないの」

「そりゃそうかもしれませんけど、そういう世界があるなら知りたいじゃないですか。私、うんと子どもの時に、ディズニーランドっていうものがあるのをテレビで知ったんですね。

そうしたら私、もうそのことしか考えられないようになったんです。あそこに行けなければ、生きている価値もない、っていうぐらい思ったんですよ。今の気持ちって、あれに似ているかもしれません」

「ディズニーランドはよかったわね」

私は笑った。全くこういう場合、笑うしかないではないか。

「私はこれから結婚するわけですけど、結婚したら彼を裏切らないつもりです。不倫なんていうのは、リスクが大き過ぎて私はとてもする気になれません。彼のセックスっていうのは、可もなし、不可もなしっていう感じかしら。私もそう何人も知っているわけじゃないから決めつけるのはよくないかもしれませんけど、ああ、こんなもんだろうなあ、っていうのがわかるんです」

結婚したら、夫としかセックス出来なくなる。このあたり前のことが、最近自分をとても焦《あせ》らせているのだと実和子は言った。そうなったら、もう自分は「めくるめくような快感」も、「我を忘れる恍惚《こうこつ》」も味わうことなく死んでいくのだ。それはとても淋《さび》しいことではないだろうか。

「だから私、一生に一度、セックスのすごくうまい男の人に、狂ったように抱かれてみたいんです」

「まあ、そうは言ってもねぇ……」

珍しく私はうろたえてしまった。私は時々、育ちのいい女の大胆さに驚くことがあるが、実和子の場合は度が過ぎているような気がする。彼女はどうしてこれほどセックスにこだわるのだろうか。一度男から、手ひどいめに遭わされているのだろうか。

私が問うと、

「そんなことはないですよ。ごくふつうだと思います」

と答えた後で、

「ただ、もっと悦《よろこ》んでくれてもいいのにって言われたことがあります。それは前の彼です。おそらく風俗で遊んでいたと思うんですけど、そういう女の人と比べると、私の反応ってやっぱり違っていたみたい」

「そりゃそうでしょう。風俗の女の人と比べられちゃたまらないわよ」

「でもあの人たちは、体もすごいことになるみたいですよね。潮を吹いたり、痛くなるぐらいきつく締めつける女の人がいるって男の人の週刊誌に書いてありましたけど、あれって本当でしょうか」

「あんな週刊誌に書いてあることなんか、信じない方がいいわよ。男の人が願望を込めて、勝手に書いているだけなんだから。潮吹き女なんか、男のつくった幻想で、雪女みたいなもんだと私は思っているのよ」

「そんなもんですかね。それはいいとしても、そういう世界があるのは事実でしょう。私、一度でいいから、そういう世界に踏み込んでみたいんです。そのチャンスは今しかないんですよ」

だからお願いしますと、彼女は私に向けてさらに強い光をあてる。

「誰か男の人を紹介してくれないでしょうか」

ちょっと待ってよと私は叫んだ。混乱している。今日はいつになく、すべて実和子のペースにはめられていて、気がついたらちゃんと役割を与えられていたのである。

「エミ子さんは顔が広いし、いろんな人を知っていると思うんです。だからお願いします、私のために誰か紹介してください」

ご冗談でしょう、そんな人、誰も知らないわ……と言いかけて私は言葉を呑《の》んだ。実和子の表情があまりに真剣で、それにつられてある男の顔が浮かび上がってきたのである。その男の顔はあまりにも強烈で、「知らない」と言い逃れは出来なかった。

私は知っている。本当に驚くべきことに、実和子の望むぴったりの男を知っているのである。

駒井《こまい》充也《みつや》という名を、おそらく多くの人たちは知っていることだろう。彼の撮ったビデオは見たことがなくても、黒いサングラスをかけた独得の風貌《ふうぼう》を見知っている女は多いはずだ。「コマミツ」と呼ばれる彼は、ＡＶ界の革命児と称《たた》えられた。彼の撮るＡＶは、それまでのものとは全く違い、

「魂ごと男を欲情させる」

と言われたものだ。彼は深夜番組などに顔を出しているうちに、社会批評的なものを書くようになった。いかにも全共闘世代的な、攻撃的な辛口が受けて、そこそこ売れたものである。私は彼の書くエッセイ集の装丁を二冊やったことがあり、その頃は時々会って飲んだりしたものだ。彼の行きつけのゴールデン街にも連れていってもらったりしたのだが、あそこに集《つど》う人たちの独得のにおいにどうもついていくことが出来なかった。駒井もそれに気づいたのだろう、次第に私を誘わなくなった。今では年賀状をかわすぐらいの仲だ。

当時、レモンを入れた焼《しょう》酎《ちゅう》を飲みながら、彼は今凝《こ》っているＳＭについて喋べったものだ。行きつけの店だったから、編集者や売れない作家、フリーライターといった面々が、ごく自然に彼の会話に加わっていった。駒井は言った。日本の縛りの素晴らしさに比べれば、西欧のＳＭなんていうのは、それこそ子ども騙《だま》しのようなものではなかろうか。

「男が女の手をこうやって縛るだろう、それはただ縛っているだけじゃないんだ。ちゃんと名前があって形が違う。それはね、江戸時代の拷問の流れなんだ。あの縛りの形は、藩

によって違うんだから、それこそ何百とある。これから見れば、ヨーロッパのＳＭなんか、単に錠と縄を使うだけなんだからね」

彼は興奮して喋べると、薄い唇の端にかすかに泡がたまった。そんな時、私は不思議な感動にうたれたものだ。世の中に、これほど性に対して執着と情熱を燃やす人がいるとは驚きだった。そして駒井と同じものが、どうやら目の前の実和子の中にも流れているらしい。

誰か男を紹介して欲しいと切り出された時の衝撃が薄れていく中、私の中でゆっくりと記憶が甦《よみがえ》っていく。

「もしあんたが、本当に男とやりたくなったら、頭がおかしくなるぐらいまでやりたいと思ったら、いつでも男を紹介するよ。あいつらは本当にすごいよ。ふつうの男たちなんかとまるで違う。プロ中のプロだからね」

傍《そば》にいた客のひとりがこう問うた。

「いったいどんな風にすごいんだよ。オレたちとどう違うっていうんだよ」

「まるっきり違うよ」

駒井はサングラスごしに男を睨《にら》んだ。

「あんたたちと真剣度も違えば、体力もテクニックもまるで違うさ。愛だ、恋だの言ってもさ、あんたたちの彼女、一晩彼らに貸してみ。もうあんたなんかと寝なくなるよ、絶対にね」

あの言葉は本当なのだろうか。どこまで駒井を信じていいのだろうか。

私は実和子の顔をもう一度見る。手入れのいきとどいた綺麗な肌。おそらく着ているカシミアのニットの中の肌も、なめらかで白いだろう。一度も見たことはないけれど、実和子の裸体は美しいはずだ。パンツ姿のヒップもきゅっと上がっているのを、私は一度誉《ほ》めたことがある。

彼女はこの美しい体を、結婚前に一度めちゃくちゃに酷使したいという。自分の体が、どこまで耐えられるか、どこまでのたうちまわるか知りたいというのだ。私は、その気持ちがわからないではなかった。もし私が気ままな独身ではなく、もうじき嫁ぐ身だったとしたら同じことを考えたような気がするのだ。知り合いの中には、長年愛し合った恋人と結婚する直前、出会い系サイトで出会った見知らぬ男に抱かれたという女がいる。自分の人生、というよりも性生活が、ひとりの男にからめとられ、規制されていくということは一見幸福なように見えるけれども、同時に哀しみもつきまとう。実和子もこの哀しみをきちんと見つめようとする女のひとりなのだ。

私は彼女に尋ねてみた。

「実和子ちゃん、あなた、本気なのね」

「ええ、本気です」

頷《うなず》いた彼女の目の中に、少なくとも好色な好奇心があったら、私はあの計画など思いつかなかったろう。実和子の目は真剣でそして澄んでいた。その澄み方というのが、真実をどれだけ知っているのだろうかという疑問に辿《など》りつくのであるが、そもそも彼女は、真実を手に入れるために冒険を始めるのだ。

「わかったわ……」

私はため息をついた。

「何とかしてあげる。あなたにぴったりの人を探してあげる」

ありがとうございます、と実和子は言った後でこうつけ加えた。

「どんな人でもいいけど、秘密を守ってくれる人にしてくださいね」

こういう風に念を押すところが、実和子の属するクラスの女たちの嫌らしいところだ。けれども私は許す気になっている。おそらく不純なもの、ことのなりゆきを知ってみたいという思いが生まれてきているために、私はひどく寛大になっているのだろう。

駒井と会ったのはそのすぐ後であった。久しぶりに一緒に飲みたいからという名目で、私は彼を西麻布のバーに誘った。私のいきつけの、小さな気持ちよいバーである。けれどもこの選択は失敗だった。久しぶりに見る駒井は、年をとった分異様さが外ににじみ出ていた。今どき真黒なサングラスをした男などめったにいないし、薄い唇は皺《しわ》が寄って病的なほど淫蕩《いんとう》な感じがした。おしゃれなバーに現れた彼は、ひどく浮き上がって人々の目を集めることになった。

性にまつわる仕事をしている人の不思議さを、私は思わずにはいられない。年をとればとるほど、尋常ではないものが肥大して、外側にはみ出してしまうようなのである。

彼は新宿二丁目やゴールデン街で飲む時のように、レモン入りの焼酎を注文した。置いてある店で本当によかった。

そして私は手短かに用件を話した。もちろん実和子の名前は隠し、結婚する直前の女が、一度でいいから性をたっぷり楽しんでみたい。ひいてはAVの男優を紹介してもらえないかと頼んだのだ。

「そういう女っていうのは、すごく多いんだよねぇ……」

駒井は嬉《うれ》し気《げ》にけっけっと笑った。煙草を吸わないのに、前歯が変色していた。年齢のせいかもしれない。

「今の若い女にとって、男優っていうのは憧《あこが》れの的なんだ。一度でいいから、彼らにお相手してもらいたいって、本気で頼んでくるからね」

「それで、お金はちゃんと払いたいって言ってるんですけど、それって失礼じゃないでしょうか」

「もちろん失礼じゃありませんよ。彼らはプロなんですからね」

「それで……」

私はあたりを見わたした。私たちは離れた場所に座っていたし、店は適度に騒がしくて、私たちの声が届くはずはなかった。それでも私は、次のひと言を充分注意を込めて、ひそやかに発した。

「それで、一晩いくらなんでしょうか」

おそらく私が、二度とすることがない質問。何人かの男はするかもしれないが、女が決してすることのない質問だ。

「五十万でしょうね」

こともなげに駒井は言った。

「えっ、五十万円。そんなにするんですか」

せいぜい十万円ぐらいと踏んでいた私は驚いた。高級娼婦《しょうふ》でも、せいぜいそのくらいではないだろうか。私の表情を読みとったのだろう、

「少しも高いことはないよ」

駒井は言った。

「女と違って、男は足を開げて寝ているわけにはいかないからね。一晩、全身全霊で相手を愛し抜くんだから、五十万でも安いぐらいだよ」

そして自分が女衒《ぜげん》のような口調になったことに気づいたのだろう、こんな風にも言う。

「まぁ、五十万っていうのは相場だからね、相手によっても違うでしょう。すごく若くて美人なら、彼らも考えるかもしれない。まあ、個々で交渉してよ。僕は紹介するだけだからね」

「わかりました。でも相手はデブのおばさんじゃありません。若くて美人ですよ。男の人だったら、ちょっといいな、って思う綺麗な人ですよ」

「あ、そういうのは多い、多い」

駒井が言うには、最近若くて容姿も恵まれている女たちが、思い出づくりのために男優たちに抱いてもらいたいと懇願するという。

「そのために貯金をしてるっていうんだから、面白い世の中になったもんだよね」

「へえー、そうですか」

けれども私は、彼女たちの気持ちがわかるような気がした。実和子の唐突な願いに驚きながらも、嫌悪を感じなかったのとそれは似ている。性の深淵《しんえん》を確かめようとする人に対して、私はなぜか不思議な好意を抱くのである。

「それで、どんな男優がいいの」

彼がよく使う男たちの中で、超売れっ子といわれる者が三人いる。中でもサムソン村上という芸名の男優は、一晩で何度でも勃《た》たせることが可能だというのだ。

「日頃から体の鍛え方と、精神の集中のあり方が違うもの」

駒井は優秀な教え子を自慢するように言った。

「彼のビデオ見たことある」

「いいえ、ありません」

「じゃ送るよ。何本か送るから、それを相手のお嬢さんに見せてよ」

やがて彼から宅配便が届いた。私はその中の二本を早まわしをしながら見た。サムソン村上というのは筋肉質で、まるでハーフのような顔立ちをしている。おそらく整形ではないかと思うのだが、大きなくっきりとした二重の瞼《まぶた》が愛敬《あいきよう》がある。彼はかなり強引に女の足を大きく開き、その中に顔を埋《うず》めていく。ぴちゃぴちゃと音をたてる。私はもし自分が実和子で、この男に同じことをされたらどうだろうかと考える。それほど嫌でないような気がした。それでビデオを実和子のところへ送った。しばらくしてから実和子から電話があった。

「あの方で結構ですから、連絡をつけてください」

と言うのである。五十万という金が必要だと告げると、

「ああ、そのくらいなら何とかなりますから」

こともなげに答えた。私は金額の多寡《たか》よりも、男に金を払って一夜を共にすることのプライドを問うたつもりであるが、そんなことは全くなかったらしい。後に聞いたところによると、実和子は金を払っただけではなく、一流ホテルのスイートルームも予約させられたというのだ。

「サムソンさんとお話しした時に、ホテルはスイートをとるように。たぶんすごい声を出すだろうから、ふつうのツインじゃまずいって言われたんですよ」

こういうことを照れることもなく、まっすぐにこちらを見て語る実和子を見て、私は初めて違和感を持った。こんな風に男と寝たい、という女は理解出来ても、こんな風に男と寝たことを細かに話す女に、私はやはり距離を感じてしまう。

実和子のように、冷静に話されるとなおさらだ。

「サムソンさんは、やっぱりふつうの男の人とはまるで違いますね。まず一緒にお風呂に

入りましたけれど、こちらの体を、女の子がお人形をいじるみたいに、そりゃあ大切に丁寧に隅々まで洗ってくれました。女の人って、あれだけでいってしまうんじゃないかしら」

うとうと眠ってはまた起こされ、激しく交わった。陳腐な言い方であるが、本当に夢のような一夜だったという。

「でもあれは、本当に一夜のことなんでしょうね」

実和子は自分に言いきかせるように言ったのである。

「あんなセックスを毎日していたら、日常生活に支障をきたしますよ。人間は他のことを楽しんだり、ふつうに生きていこうと思ったら、セックスというものは七割ぐらいのところで楽しんでいて、のめり込むところまでいかない方がいいんでしょうね」

これが五十万円払い、駒井が言うところの、

「日本でいちばんセックスのうまい」

男優と寝た結論だと思うと、私は何やらおかしいような気持ちになりながらも、同時に寒々としたものを感じたものだ。うまくはいえないが、人生というものには結論を出さなくてもいい幾つかのことがらがある。実和子は早い時期にそれをひとつしてしまったのではなかろうか。

が、そんな私の心配をよそに、結婚披露宴での実和子は本当に美しかった。写真を何枚か見せてもらったのだが、有名デザイナーのオートクチュールによるウエディングドレスは、豪華なレースがふんだんに使われており、それをまとった実和子はまるで女性誌から抜け出したモデルのようであった。

しばらくしてから、実和子から転居通知が送られてきた。

「エミ子さん、その節はいろいろとお世話になりました。なんとかぼちぼち暮らしています」

私はこれを実和子独得のクールな表現と受け取りながらも、ふーんと小さなため息を漏らした。実和子のために、たいしたことをしてやったわけではないが、それでもわざわざAV監督に会いに行き、男優を紹介してもらった。その男優と寝た後の露悪的な話もさんざん聞かされた。その結果が、

「その節はいろいろお世話になりました」

ということらしい。おそらく実和子のような女は、その都度要領よく自分本位に生きていくのだろう。自分の身に起こったさまざまなことをふるいにかけ、そして都合の悪いことや忘れ去りたいことは、記憶のどこかへ上手に置き去るのだ。私はおそらく彼女の、その忘れたいことのひとつに手を貸したことになるのだろう。私は自分のお節介ぶりを嗤《わら》い

たくなる。まあ、今さらこの性格を変えろといっても無理だろうし、私自身も百パーセント善意から来ているのかと問われればそれも違うと答えるだろう。いずれにしても、これで実和子から遠くなっていくだろうと私は思い、事実そのとおりになった。

新宿のホールで芝居を観た帰り、友人に誘われてビルの三階にあるスナックに入った。スナックというよりも、西洋居酒屋といった方がいいかもしれない。天井からソーセージが、インテリア代わりに何本も下がっていた。友人が言うには、ここは昔から芝居の関係者がよく使う店だということだ。

女二人で、ソーセージを肴《さかな》にビールを飲んでいると、彼女が私に言った。

「ちょっと、向こうで手を振ってる人がいるわよ」

振り向くと駒井であった。何かの打ち上げでもしているのだろうか、数人の男たちとテーブルを囲んでいる。酔った男たちの中へ挨拶《あいさつ》へ行くのはかなり億劫《おっくう》であったが私は立ち上がった。

「監督、先日はありがとうございました」

「いやー、どうも、どうも。かなり喜んでもらえたみたいだね」

そして彼は、まわりに聞こえないように、早口でそっと私にささやいた。

「それで喜ばれ過ぎちゃって、彼女、サムソンとまだ会っているみたいだね」

「何ですって」

「いや、彼から聞いたから間違いないと思うよ。嘘《うそ》つくような男じゃないし」

私は席に戻っても、そのことが頭から離れなかった。一応自分が望むような結婚をし、幸福に暮らしていると思っていた新妻の実和子が、どうして一晩限りと割り切っていたはずの男とつき合っているのだろうか。

あのサムソン村上という男を、本当に愛したのだろうか。

まさか、と私は打ち消す。ビデオの中で見た、女の肌を嘗《な》めまわしていたサムソンの、どこか呆《ほう》けたような顔を思い出したからである。実和子は、男の条件に必ず知性をあげる女だろう。いや、あげる前に、知的でない男など考えられもしなかったろう。その彼女が、いくら肉体的に衝撃を受けたからといって、あの男を精神的に受け入れることが出来るのだろうか。私はわからない。そんなことがあり得るはずはないと、私の冷静な部分はとうに結論を下しているのであるが、どこかで別のものが蠢《うごめ》き始める。それは、男と女、何があってもおかしなことはないという、強大で不思議な真実なのである。あれこれ考えても仕方ないので、私は実和子に電話をしてみた。

「あ、エミ子さん、ご無沙汰《ぶさた》していてすいません」

はずむような声は、やはり充《み》ち足りた生活をおくっている新婚の女のそれだ。

「引越しや何だかんだ、いろんなことがあったんで、ご連絡が遅くなってすいません。でもエミ子さんと会いたいと思っていたところなんです」

夜はお互いに忙しいということで、ランチをとることになった。白金《しろかね》にあるイタリアン料理である。気候がいいので、私はテラスを予約していた。ここなら人に話を聞かれることもないだろう。

実和子はブランド品らしい素晴らしく冴《さ》えた水色のニットに、白いパンツでやってきた。どこから見ても、この界隈《かいわい》にたむろするおしゃれで豊かな女のひとりである。こっそりAV男優とつき合っているとは誰が思うだろう。

グラスの白ワインを頼む。野菜のテリーヌという前菜。実和子は軽やかにフォークを使う。駒井の名や、AVという単語を口にすることをためらうような、気持ちのいい午後であった。

私が駒井と会ったことを話しても、実和子は顔色ひとつ変えない。

「いずれ、エミ子さんにはお話ししようと思っていました。勝手なことをして、申しわけありませんでした」

「勝手なこと、なんていうよりも、このことが噂《うわさ》になったらどうするの。あなたがやっていることはとっても危険なことなのよ」

「でも、あの人たちの世界と、私のいる世界とは全く違いますから、交わることもないと思います」

居直りとも言えることを口にしてから、実和子はゆっくりと喋べり始めた。

夫との新婚生活が始まった。新しいマンションも快適だし、結婚に際して父親からかなりの自社株を譲られた。この不景気であるが、優良株ゆえに配当だけでかなりの額になる。洋服を買ったり贅沢《ぜいたく》な旅行をするには充分な額だ。夫もやさしいし、家に早く帰ってくる。二人で話題のレストランへ行くこともあるし、実和子の手づくりの料理を食べることもある。

「でも、すぐにへんな感じになりました。なんだかもの足りないっていうか、淋しいっていう気持ちです。それをつきつめてみると、セックスだったんですね」

抑揚のない口調で、大胆なことを語るのは結婚前と少しも変わっていない。

「私、それまで自分のこと、セックスがそんなに好きじゃない、おそらく溺れることもないだろうと思ってました。だけどつきつめて知りたいっていう気持ちはすごくある。それがサムソンさんを紹介してもらったことになるんですけどね」

この充たされない、淋しい思いは何だろうと悩んだ揚句《あげく》、サムソン村上に電話をかけた。

そして彼とまたホテルへ行ったというのだ。

「あの時の気持ちを何ていったらいいんでしょうか、風がピューピュー吹いてくる穴が、ピタッてふさがったっていう感じなんです。サムソンさんは言ってました。セックスっていうのはそういう働きがあるんだって。心だ精神だなんてめんどうくさいことを言わなくてもいい。お腹が空いた人間に、あったかいごはんとお味噌汁を飲ませるようなもんだって。体にいちばん効くことなんだって。それを聞いて、私は割り切って考えられるようになりました。私がこの夫との幸福な生活を維持していこうと思ったら、サムソンさんとのことは必要だって」

「ちょっと待って……」

私はごくんと白ワインを飲み干した。どういう風に反論すればいいのか、舌がもつれるような思いになったからだ。

「それって、違うと思うわ。夫を愛してるんだったら、その人とセックスして、充たされることが幸福っていうことなんじゃないの」

「でも彼って、セックスがあまり好きじゃないみたいです。恋人の時は頑張ってたけど、結婚した今は、すっかり安心してしないことが多いですね。それが夫婦だと思っているみたい。でも私、彼のこと好きなんです。いい人だし、結婚してますます好きになりました。

セックスを別のところでしてきても、後で心の中で、それをうまく夫にくっつければいいんじゃないでしょうか。サムソンさんとしたことも、夫としたことと思えばいいことでしょう」

それにと、実和子はこう言った。

「今、月に二回会ってるので、サムソンさん、とってもお安くしてくれてるんですよ。今じゃ一回十万円なんです」

得意気に微笑《ほほえ》んだのである。

「他の人からは五十万、いや、もっと貰《もら》うけど、私からは十万円でいいって。なんかこういうのって嬉しいですね。何か努力していることを認められたっていう感じ」

「努力ねぇ……」

私は憮然《ぶぜん》としてつぶやいたが、おそらく実和子には聞こえなかったことであろう。

第七話

沙織

和田沙織《さおり》のことが、私にはよくわからない。私には何人かの女友だちがいる。働いている女も、結婚している女もいる。彼女たちは私に、小さな菓子を与えるようにこっそりと秘密を打ち明けるのだ。

　秘密というのは、その人の心を開ける鍵《かぎ》だから、私は彼女たちの心に少し足を踏み入れることが出来る。少しだけだ。私はそれ以上は進まない。けれどもそのわずかに溶けた距離は、彼女たちを他の女たちから浮かび上がらせる。そして私は彼女たちと、友情とも呼べないほどの甘く淡い関係を結ぶのだ。

　けれども沙織は他の女と違っている。まず彼女は、自分のことを何ひとつ語ろうとしない。女たちが挨拶《あいさつ》がわりに交わすような、ちょっとした愚痴も口にしようとはしなかった。

　沙織はいつもうっすらとした微笑を浮かべて聞き役にまわっていたが、大層美しい女だったので、それは素晴らしい美徳に人には思えた。自分からあまり喋《しゃ》べることはせず、あいづちをうまくうつ女というのは、たいてい人に好かれる。美女だったらなおさらだ。

沙織は赤坂の総合病院の院長夫人である。夫とはかなりの年齢の差があった。沙織は二度めの妻だという者もいたし、三度めという者もいた。いずれにしても、初婚の夫と結ばれたのではないことは確かだった。

ふつうこういう若く美しい妻を持てば、夫たるもの嫉妬《しっと》深くなったり、束縛したがるものであるが、沙織の夫は全く放任主義であった。

沙織はいつのまにか、私の夜遊びの仲間に入ってきていたのであるが、その時間帯からして人妻とは思わなかった。

まず目をひいたのは、おそろしく金のかかった服だ。イタリアやフランス製のブランドのスーツやワンピースをいつも着ていた。手にしているのはケリーかバーキンで、たまにグッチの最新のものを手にしていることもあった。二十代の後半でこういう服装をしていると嫌味になるものであるが、反感を持たれないのは、沙織の整った美貌《びぼう》のせいだろう。ほとんど黒目が占めている大きな目は、正統派美少女の趣《おもむき》を残していて、彼女にかすかな薄幸《はっこう》の影を与えた。それが全くの誤解だとしても、人は彼女の人形じみた美しさからさまざまなストーリーをつくる。

だから沙織が大金持ちの後妻だと聞いて、皆はすぐに納得してしまうのだ。

外見で沙織はおとなしげな女と思われるのだが、そうではないことはすぐにわかった。彼女ほど顔が広い女はそうはいないだろう。もともと沙織の夫という人が、相当の芸能人好き、有名人好きらしい。ある人気力士のタニマチのようなこともしていたと聞いたことがある。どうやら沙織は、夫の人脈を基盤として、自分でさらに枝葉を拡《ひろ》げていったらしい。

俳優やタレント、歌舞伎役者もいたし人気アーチストや作家もいた。政治家の二世たちとも、会をつくって遊んでいるらしい。

「あんなに奥さんにお金と自由を与えて、よく旦那《だんな》さんは平気だね」

と言う者がいて、私も確かにそう思った。非難する気などまるでないけれども、沙織の夫という人は、いったい何のために結婚したのだろうかと、まず不思議だった。沙織は毎晩どこかに出かけているはずなのだから。たぶん彼は、中年からの人生を、若い自分好みの女と過ごそうとしたのであろう。惚《ほ》れた女を自分のものにして、たえず傍《そば》に置きたかったに違いない。けれども彼は、この二つの目的をまるで果たしていないのだ。

彼は妻を野放しにしているばかりか、たっぷりと金を与えているのである。女からみれば、これほど快適な結婚はなかったろう。夫になにひとつしなくても、自由と金は自分のものになる。実家にいてこうるさい両親の監視下にあるよりもはるかにいい。

私は沙織の夫が、どうしてこれほど妻に寛大なのか一度聞いてみたいような気もする。

「自分が浮気しているからだ」

という説もあるけれども、そうとも思えない。男というのは勝手なもので、自分の欲望と妻への欲求とはまるで別のものだからだ。それにどう見ても、沙織が浮気をしているとは思えなかった。噂《うわさ》も聞いたことがない。

沙織は案外酒が強くて、日本酒でもワインでもすいすい喉《のど》に流し込む。決してだらしなく酔うことはなかった。そして流行《はや》りのシフォンのワンピースは露出が大きく、半分あらわになった胸が薄桃色に染まる。けれども沙織には、バリアーが張りめぐらされていることは、誰の目にもあきらかだった。

人妻のうえに、夫が大金持ちの権力者だからだろうか。

いや、それだけではない。沙織の、いや沙織とそこにいない夫のあまりの無防備さに、かえって男は怯《ひる》んでしまうのである。これほどうまそうな果実が、これほどたやすく手に入るはずはないという思いがまず先にくるのだ。

沙織は私たちのグループの、ちょっとした集まりによく顔を出す。人の話では、他の集まりにもちゃんと出席しているようだ。といっても、沙織はパーティーがあまり好きではない。世間には芸能人でもないのに、華やかなドレスを着てパーティーに出る女たちがいる。女性誌の「パーティーピープル」に撮られることを生き甲斐《がい》にしているような女たちだ。けれども沙織は、飲み物を片手にあちこち歩きまわらなくてはいけないパーティーは苦手だという。それよりもじっくりと腰を落ち着けて、酒を飲み、人と交わるような集まりの方がはるかに好みだと私に語ったことがある。

そのような女が、どうして男と深い関係を持とうとしないのか私は不思議でたまらない。淡々とした無欲な関係などというものは、彼女の年齢の女ではまずつくり上げることは出来ないだろう。

いったい彼女は、何を求めて毎晩出歩いているのだろうか。

いったい彼女は、何を欲しているのだろうか。

今日も楽しげに、白ワインを飲み干していく彼女を見ていると、私は苛立《いらだ》ちのようなものを感じるのだ。

私は沙織という女が、本当にわからない。

歌舞伎を観る人だったら、若駒屋《わかこまや》のことは知っているだろう。江戸時代から数えて十一世という当主は、今の歌舞伎界のリーダーのひとりである。先月も歌舞伎座で政岡《まさおか》という大役を演じたばかりだ。

彼の長男で今年二十七歳になる若駒屋の御曹子が、沙織に対して大層怒っているという噂が聞こえてきた。なんでも心をもてあそばれた、というのである。体をもてあそばれた、というのはあるけれども、心をもてあそばれたというのは初耳である。しかもそこいらの若い男ではない。歌舞伎役者ともあろうものが、どうしてそれほど無粋なことを言うのだろうかと、私たちは言い合ったものだ。別に貢がされたわけではないだろう。沙織のように、夫からたっぷりと小遣いを貰《もら》っている女が、あれを買え、あそこに連れていけとねだるはずもなかった。

おそらくこの自信家の御曹子は、どんな女も自分になびくはずだと思っていたところ、沙織のクールさに啞然《あぜん》としたのだろう。

ところがこのつまらぬ話が、どういうわけかスキャンダルになり、写真雑誌に出たのだから、マスコミというのは本当にいいかげんなところだ。朝、新聞を読んでいたら、

「若駒屋御曹子、美貌の人妻と熱愛発覚！」

という文字が飛び込んできた。そういう行為は卑しいと思ったものの、打ち合わせに出るついでに、コンビニでその写真週刊誌を買った。一組の男女がイタリアンレストランを出てくるところであった。例によって目のところが黒く塗りつぶされているが、女の方は沙織に間違いなかった。いつものように、衿《えり》ぐりの大きいドレスを着ている。セクシーさ

と愛らしさとで人気の、イタリアのブランドだ。けれども目が黒く塗られ、モノクロの荒れた画像なので、沙織はとても下品で蓮っ葉《はすっぱ》な印象を与えた。「人妻」という名称もこうなると何だかいやらしい。

「二人の交際は半年ほど前から。このA子さんの夫は、誰でも知っている都内の大病院の院長で、離婚の可能性はゼロに等しい。二人の気持ちは本気だと、崎之助《さきのすけ》はまわりに語っているが、単なる『有閑夫人の火遊び』で終わってしまうのではないかと心配する声の方が高い」

と記事は結んであったが、こう書かれると沙織がいかにも誘惑しているようだ。そういう女ではない、ということは私がよく知っている。

美しく着飾り、完璧《かんぺき》に整えた爪と髪を持ち、楽し気に酒の席にいても、沙織から伝わってくるのは無気力感である、いや、無気力というよりも脱力感といった方がいいかもしれない。若い女性から発せられるもの、どんなに不器量な女でさえ持っているあの力強さや、ふてぶてしい明るさが、沙織からはまるで感じられないのだ。

ああいう女が恋をするはずはなかった。恋というのは、見えない光を発し、その光を誰かに受け取めて貰うことだ。けれども沙織は誰にも光を発していない。ましてや不倫という、特別に強い光を必要とするものが出来るはずはなかった。

「どうしてこんな出鱈目《でたらめ》な記事が出たんだろう」

仲間のひとりから電話があり、記事を読んだかと私に問うてきた。私は新聞広告の見出しを読んだだけだと答えた。相手の男の声が、いかにも楽し気だったからである。

彼は言う。どうやらあの記事は、失恋した御曹子が知り合いの記者に頼んで書かせたものだという。

「懲《こ》らしめのためもあったんじゃないか」

私が何のためにと問うと、彼はこんな風に言った。

「沙織ちゃんっていい子なんだけど、やっぱりいけないよな。ああいう風にキレイなコが、しょっちゅう夜遊びをして、毎晩飲み歩いている。それじゃあと思って、男は口説《くど》くじゃないか。するとピシャリとやる。彼女はいったい何のために、ああいうところにいるんだろうって考えたことがあるか」

「わからないわ」

「そうだろう。あんたみたいにさ、もう世の中を達観したおばさんが、男と色気抜きで酒を飲むっていうならわかるぜ」

余計なお世話よ、と私は怒鳴る。

「ま、いいじゃないか、これは誉《ほ》め言葉だ。あんたみたいに話が面白い女が男と酒を飲む。

こういうのは人間同士の楽しいつき合いだよな。だけどあのコの場合はそうじゃない。自分からは喋べることもなくて、ニコニコしながら話を聞いている。あんな美人だし感じもいい。こういうキレイなコと酒を飲めるのは楽しい。最初はついているぞ、っていう気分なんだけど、そのうちに何だか腹が立ってくるんだよな。なんでこの女がここにいるんだ。オレに気があるわけでもないし、口説くことも出来ない女がなんでここにいるんだってね」

私が感じたことを、男の彼も感じていたことになる。

「ま、これであのコのダンナも、少しは目が覚めるだろう」

彼はテレビ制作会社のディレクターという、極めていいかげんな業界にいる男にもかかわらず、妙に古風な言い方をした。

「あのダンナは、少し女房を甘やかし過ぎたって皆が言ってるもんな。あんなに金をやって好き放題のことをやらしてるなんて、ひょっとしてインポだからその罪ほろぼしのせいだろうってみんな言ってる」

やめなさいよ、そんな言い方、と私は彼をたしなめた。そうしながらも長い間、沙織という存在が男たちの中で、いかに奇妙で安定の悪いものだったかということを、しみじみと思い知らされたのだ。

「金持ちの若い奥さんで、よく遊んでいるコ、他に何人も知っているわよ。そんなことは夫婦が了解していることで、他人の私たちがとやかく言うことじゃないんじゃない」

自分でもつまらぬ綺麗ごとを口にしていると思った。私は沙織をずっと観察し、かなりの違和感をおぼえていた。だからこそすぐに彼女の出ている写真週刊誌を買ったのではなかったか。

私はこの後しばらく沈黙した。するとそれを、自分の都合のいいように解釈したらしく、男はこんな風に言う。

「まぁ、そりゃあ、ちょっとショックだわな。エミちゃんは、結構あのコを可愛がっていたからな……」

その後、今度は電話の向こう側で沈黙があった。言おうかどうしようかと迷っている独得の、あの生ぬるい気配が伝わってくる。

「あのさ、こんなこと、言っていいことかどうかわからないけどさ、エミちゃんは口が固いから言うよ。沙織ちゃんってさ、どうも昔、フーゾクをやっていたらしいな」

まさか、と私は大きな声をあげた。そんなことはあり得るはずはない。私は強い確信を持って言う。

「私、そんなこと信じないわ。だって彼女ってそんなことするようなタイプじゃないもの」

「だろう。オレだってそう思うよ。だけどさ、うちの会社のディレクターが、彼女の顔を見て、絶対に一度取材したって言い張るんだよ」

彼の会社は、深夜番組の下請けをしている。そこでは風俗と呼ばれる場所で働く女の子を紹介するコーナーがあり、もう十数年取材しているスタッフが何人かいるそうだ。

「そいつが言ってるんだ。特に可愛いコだからよく憶《おぼ》えてた、っていうんだけどな」

「馬鹿ばかしい」

私は男を叱《しか》るように言った。

「もしそれが本当だったら、どうして大病院の院長の奥さんになれるのよ。そういうこと、あんまり言わない方がいいんじゃないの。もし旦那さんの耳にでも入ったら、ややこしいことになるわよ」

まぁ、オレも他には喋べっていないからと男は曖昧《あいまい》に電話を切った。

そして私はその後、買ったばかりのCDをかけ、チョコレートを口の中に放り込む。チョコレートは最近の私の必需品だ。さぁ、これから仕事を始めるぞ、という時に脳にガソリンを入れるのである。カステラや和菓子までいろいろ試したけれども、チョコレートがいちばん速効性があるということがわかった。

私の本職はイラストレーターだけれども、最近は文章を頼まれることが多い。何年か前に出した「ひとり暮らしのヒント集」といった内容のエッセイ集が、思いがけなく売れたのだ。私はその中で繰り返しこう書いている。

「ひとりで生きていくことは素敵なことだ。みじめでも淋《さび》しくもない。ただし、そこそこのセンスとお金を持っていなくてはいけないけれども」

いつのまにか私は、おしゃれで自立した女の代表のようになっているらしい。女性誌からは、インテリアを見せて欲しい、日々の料理のレシピを教えてほしい、などといった依頼がひっきりなしだ。そういう時、私はハーブ入りオムレツにミルクティー、新キャベツのサラダにスコーン、などといった献立を披露する。

イラストレーターだから、テーブルセッティングはお手のものだ。厚めのブルーの皿に、白いリネンのテーブルマット、そしてナプキンリングに、青いチェックのリボンを巻く……などという工夫をすると、どの編集者も喜んだ。

けれども実際の私は、こうして昼近くに起き、ジャージー姿のままでコーヒーを淹《い》れ、チョコレートを朝食代わりに食べるような生活をしているのだ。

私は人間などというのは、みんなこんなものだと思っている。舞台と楽屋の二つがあるのだ。流行の格好をし、飲み会や食事会に現れるのだけが沙織の姿ではないだろう。私たちの知らないところで、何か必死で繕《つくろ》うようなこともしているかもしれない。

「だからどうだっていうのよ」

声に出して言ってみると、少し沙織を許せるような気がした。許すも何も、彼女は私に対して何ひとつ悪いことをしているわけではないけれども、私はとにかく沙織に対して「許す」という感情を持ったのである。

それにしても、今度の一件で彼女はどう変わるのだろうか。もう以前のように夜、出かけられないのは確かかもしれない。私は沙織の自宅の電話番号も、携帯の番号も知っていたけれども意地でもかけまいと思った。噂の最中《さなか》にいる人間に、親切を装い連絡を取るのは私の趣味ではない。

「どう、大変だったわね」

「こんなことでくじけちゃダメ」

「何かあったら、いつでも相談してね」

こういう言葉は舌なめずりの音と、とてもよく似ていることに、人はどうして気づかないのだろうか。もっと話して。そう噂になっていない本当のことを私に話して。そしてもっと不幸になって頂戴《ちょうだい》、と人は語りかけているのである。

ところが思わぬところから、沙織は私のところへ接触してきたのである。原稿を書こうと私はパソコンの前に座った。その前にメールをチェックする。私のメールアドレスを知っている人は本当に少ない。いろんな人から忠告されたからだ。メールをやり始めると、返事を返すだけで時間がとられる。だからやたらとアドレスを人に教えてはいけないよと。だから和田沙織という名前を見つけた時には驚いた。沙織に私のアドレスを教えたことはない。いったい誰に聞いたのだろうか。それについてはいっさい説明がない。

「エミ子さん、元気ですか。

ご存知かどうかわかりませんけれども、私は生まれて初めて写真週刊誌というものに出ました。それですっかり人間不信といおうか、外に出るのがイヤになってしまいました。でもエミ子さんとはお茶をして、いろいろ話をきいていただきたいんです。どこにでもいきますので、よろしい時間にお茶をご一緒していただけますか。あんまり外に出かけたくはないので、うちに来てくださるのがいちばん嬉《うれ》しいのですが、それじゃあまりにも図々しいですよね。お返事待っています」

私は最初、このメールをにせ物ではないかと思ったぐらいだ。沙織にしてはやけに馴《な》れなれしいし、確かに図々しいところもある。沙織が突然、

「私の話を聞いて欲しい」

などと言い出す女には思えなかったのだ。けれどもアドレスを確かめると、やっぱり沙

織のものだ。もしかすると今度の事件で、かなり気落ちしているのだろうか。私はメールを打った。

「私でよかったら、いつでもお茶を飲みましょう。確か自宅は赤坂でしたよね。そちらへ行くのは少しも構いません。落ち着いたところでゆっくり会いましょう」

こうメールを打ちながら、私の中にかすかな勝利感がなかったといったら嘘《うそ》になる。あの沙織が、私に頼ろうとしているのだ。初めて心を開いてこようとしているのだ。このことは人懐っこい女たちから好かれるよりも、何倍もの満足感を私にもたらした。

「やっぱりね」

私は声に出してしまい、その嫌な響きにぞっとした。沙織を前にすると、私はただの詮《せん》索《さく》好きの中年女になるような気がして仕方ない。

沙織の住んでいるところは、病院の上だとばかり思っていた。和田病院は地下鉄の駅を降りたところすぐにある、堂々たる五階建てのビルなのだ。けれども沙織とその夫は、乃《の》木坂《ぎざか》に近いマンションに住んでいるという。

「階が違っても、消毒や病院のにおいがするって、彼が言い出して二年前に引越したんですよ」

エントランスまで出迎えてくれた沙織は、初夏らしい半袖《はんそで》の麻のニットに、同色のパンツというでたちだ。彼女にしてはくつろいだ格好であるが、高価なものであることはひと目見てわかった。

それにしてもと、私はあたりを見わたした。このマンションのことは、チラシで見て知っていた。その不動産のチラシも、他の建売住宅やマンションのようなちゃちなものではない。上質の紙に、ごくシンプルな図柄が高級感をあらわしていた。今どきこんな値段のものを買う人がいるのだろうかと私は目をむいた。二億、三億という数字が提示されていたのだ。

「でもそれは、上の階の広い部屋のことですよ。うちは二人だけですから、ぐっと狭いふつうのところです」

というものの、通された部屋はシンプルだが実に贅沢《ぜいたく》なつくりだった。窓は神社の緑でおおわれ、天井が高いのでとても広く見える。ベージュの壁紙に合わせたB&Bの家具はどれも新品だった。

飾り棚の上に、夫婦の写真が何枚も飾られていて私はなぜか安堵《あんど》した。夫は噂されているほど醜男《ぶおとこ》でもなかったし、年寄りでもなかった。二人で海辺に立っている写真があったが、裕福な仲のいい夫婦という感じがした。小太りの夫の手は、しっかりと妻の肩を抱き、いかに彼が妻のことを愛しているかがわかった。

「主人です」

いつのまにか沙織が後ろに立っていた。

「おジイちゃんで恥ずかしいわ。エミ子さん、驚いたんじゃない」

「そんなことはないわ。そんなに年の差、あるようにも見えないけど」

「そんなことはないわ。彼、今年五十四歳なの。私とは二十六歳も離れているの。それにもう二回も結婚しているから、私なんか娘みたいなものかもしれません」

彼女があまりにも早く、あっけなく、自分のことを語り出したことに私は驚く。いささかあわてた私は、その場を取り繕おうとするあまり、こんな言葉を発してしまったのだ。

「今度のこと、大変だったでしょう」

なんとつまらぬことを口にしたのだろうかととっさに後悔した。私がいちばん軽蔑《けいべつ》するような人間が、こういう時に言いそうな言葉ではないか。

「ええ、本当に大変でした」

ところが沙織は素直に頷《うなず》いた。

「あの週刊誌には、病院の名前は出ていなかったのに、すぐにうちの病院だとわかったみたいですね。看板はぼかしたみたいですけど、ワイドショーにも映ったっていいます」

あら、そうと、私はかすれた声であいづちをうつ。

やがてテーブルの上に、お茶の用意が整った。私の持ってきたベビーピンクのバラは、バカラの器に美しく飾られていた。チョコレートとクッキーで、私たちは紅茶を飲んだ。紅茶はとてもうまく淹れてあった。専門店でならともかく、個人の家でおいしい紅茶を飲もうとするのはとてもむずかしい。たいていがポットのぬるい湯を使ったり、器をあらかじめ温めておくことを省くからだ。

こうして女がさしむかいで紅茶をすすっていると、おのずから自制された上品な会話となるのが我ながらおかしかった。

「このあたりって、とても静かね。都心にもこんなところがあるなんて知らなかったわ」

「昔から神社がとても多いところなんですって。でもね、この頃はしゃれたお店が多くなったんですよ。近くにね、古い料亭を改築した中華料理屋さんが出来たの。とってもおいしいですよ。今度ご一緒しましょうよ」

「そうね。その時はご主人も一緒ね」

ええ、と言った後、沙織は笑う。ニタリ、という表現がぴったりの笑いであった。

「エミ子さん、うちの主人がどうして私に、こんな勝手をさせているのか、不思議に思っているでしょう」

「まぁね」

私は正直に答えた。

「なんて寛大なご主人だろうって、ずっと前から思ってたわ」

「あのね、主人はさっきも言ったとおり、私の前に二回結婚しているんですけども、どちらも逃げられているようなもんなんです。一度めはふつうの人だったみたいですけど、二番めは歌手だったんですよ。アイドルでそこそこ売れていたみたい。ねえ、エミ子さん、この歌を知っていますか」

沙織はメロディを口ずさんだ。マイナーな暗い曲である。そして私は瞬時に思い出した。この歌の歌詞と、この歌一曲のヒットですぐに引退した平凡な顔立ちの女をだ。確か十数年前のことだった。

「芸能人だった女の人を、ちゃんとした奥さんにしようとして、主人はいろいろ頑張ったみたい。自分で教育しようとしたんじゃないかしら。でもね、そのことが悪い結果になって、その女の人、子どもを連れて出ていっちゃったんですよ。今でもすっごい額の養育費を払っているんだけど、そんなことよりも、主人はショックだったみたいです。あまりにもガミガミ言ったから逃げられた、っていう後遺症からか、私のことはすごく大目に見てくれるようになったんですね」

そして突然沙織は立ち上がった。

「ねぇ、昼間だけどお酒にしませんか。女二人だったらシャンパンなんていいじゃない。私、ここのところ、ずっとうちの中にいるからお酒、飲みたいの」

やがて彼女は、クリュッグを手にしてきた。ロゼの高価なものである。

「うちは医者ですから、もらいもののお酒は売るほどあるんです。どんどんいきましょう。どうせエミ子さん、自由業だしひとり暮らしだから、ちょっとぐらい赤い顔をしていても平気ですよね」

今日の彼女は、どこかタガがはずれたようなところがあると私は思った。自暴自棄というのでもないけれども、必死で本当の自分でない女を演じようとしているように私には見えた。

シャンパンの栓を抜くのは慣れているらしく沙織はナプキンごとひねり、やがて小気味よい音をたてた。

「乾杯」

「乾杯」

私たちはグラスを合わせた。昼さがりのシャンパンは、華やかで自堕落でいかにも女が打ち明けごとをするのにふさわしい。

「私はとっても口惜《くや》しいの」

沙織は言った。この「口惜しい」という言葉を聞いてもらいたいために、私をここに招いたかのように、力を込めて「口惜しい」と発音した。

「あの崎之助は私のことを騙《だま》したんだわ」

崎之助というのは御曹子の名前である。この頃はテレビドラマや、新作の舞台劇にも出ているので知名度はそこそこある。けれども父親の美貌を受け継ぐこともなく、誰に似たのかかなりの馬面《うまづら》である。だから美男子がもてはやされる、昨今の若手役者ブームから取り残された感があった。今度のことは、おそらく彼の売名行為めいたところもあるだろうと私は推理していた。

「そりゃそうよね、沙織ちゃんとは何もなかったのに、自分と何かあったみたいに言いふらされたんだから、そりゃあ口惜しいわよね」

「いいえ、ありました」

沙織はグラスを手にして、こちらを見る。早くも酔いがまわって、大きな目が泣いたすぐ後のようになっている。男たちが「サオリちゃんのおメメ」と呼ぶあの目だ。アルコールが入ると、挑発的な光をふくんで男たちをじっと見つめる。けれども誰にも心も体も許さない。だから密《ひそ》かに憎まれ恨まれたのではなかったか……。

「あの、私、生まれて初めて不倫ということをしてみたんです。別にあの男が好き、っていうわけでもなかったわ。でもね、あんなにしつこく、熱心に言われたのは初めてだったから。正確に言うと結婚後初めてだったんですよ。そして私は自分を試してみたの。だけどダメ、やっぱりダメだったわ。やっぱり好きになることはなかったわ。それがわかったから、あの男は私のことをあんなに怒ったのかもしれない……」

信じてくれないかもしれないけれども、私は男の人を好きになったことがない。小学校三、四年生ぐらいになると、みんな好きな男の名を口にするわ。その人の姿を見ただけで、胸がきゅんとなった、っていうことを言う。だけど私は、そういう気持ちが本当にわからない。

男の子を汚らしいとか、嫌らしいとか思ったこともないけれども、胸が震えるなんていうこともなかったの。もちろんそうかといって、女の人に関心がある、っていうわけでもないの。

子どもの頃、ヘンタイに何かされたわけでも、両親がセックスする現場を見た、なんていうこともまるでない。とにかく私は男の人を見て、特別の感情がわく、っていうことがまるでなかった。それなのに、こういう私を見て、両親は、

「まだこの子は子どもなんだから」

ってとっても喜んだ。特に父親がね。私をずっと子どものままでいさせたかったんでしょう。なまじ私は、子どもの頃ちょっと可愛い顔をしていた。そういう子どもが少しも異性に興味を示さず、パパ、パパって寄ってくるのがとても嬉しかったんだと思う。

「沙織はそのままでいいんだよ。男の子とデイトしたくなかったら、別にする必要はないんだから」

ってずっと言われてきたわ。

けれども中学になるとやっぱり問題よね。友だちから変わり者、って言われたくないばっかりに、私は男の子を好きになったふりをした。

「○○君が好き」

って大げさに宣言して、その男に近づくポーズをしたの。そうするとね、たいていの男の子は大喜びしてすぐ寄ってきたわ。

「君が僕のことを、そんな風に見ててくれたなんて知らなかったよ」

って言うの。私、それを聞くのがとても嫌になった。私はこの男の人を騙しているんじゃないかっていう思いに苛《さいな》まれたの。

そんな私が、どうして「エンコウ」を始めたんだろう。「エンコウ」っていっても、私の場合はホテルへ行ったりするようなハードなものじゃない。一緒にカラオケに行って、おじさんにちょっと胸や脚を触らせてあげるっていう可愛いもんだったわ。でもね、ちょうどバブルの頃で、すごいお小遣いをもらったのを憶えている。

私たちの元締めみたいな女の子がいて、その子は誰でも知っている有名お嬢さま学校に通っていた。今はアメリカの大学院に行っているはずだけど、すごく頭のいいコでね、彼女から誘われたの。

「ブスで頭の悪いコたちは、ホテルへ行かなきゃならないけど、私たちはそんなレベルじゃないから」

って、本当に可愛くてスタイルのいい子だけ集められた。カラオケや食事につき合うだけで、相手をするおじさんもお金持ちにしぼったみたい。このグループのことは当時ちょっと有名になって、「モデルクラスの女の子だけ集めたエンコウグループ」ということでテレビや雑誌の取材も受けたりしたわ。もちろん顔は出なかったけれども、私もレポーターの男の人に向かって、

「なんだかさー、おじさんたちってかわいいとこあるよー」

などと生意気な口をきいていたと思う。

バブルの頃というのは、お金の動き方がおかしいというのは子ども心にもわかった。ち

ょっとカラオケをつき合ったぐらいで、十四の女の子に三万円、四万円というお小遣いが渡された。海外土産《みやげ》だっていって、シャネルのハンドバッグを貰ったこともあるわ。

そしてそういうことは、私の男の人に対する心をますますいびつにした。私は男の人から愛を得られないならば、せめて嫌悪を貫きたいと思った。うまくいえないけれども、とにかく強いものを経験したいと考えたの。

一緒にカラオケして、時々はおじさんたちに胸を触らせたりもした。おじさんたちは図々しくなり、薄暗いカラオケボックスの隅で、パンツの中に指を這《は》わせようともする。けれども私は、それほどイヤという感じも持たなかった。ほんの少しはこちらも気持ちいいし、仕方ないか、という気分だったみたい。

そんなことをしているうちに半年が過ぎ、ボスの高校入学をきっかけに、私たちのグループも解散になった。私は受験勉強をし、お嬢さん学校と呼ばれるところの高等部に入り、そして大学に入った。

そしていろんなことがあった。恋というものを知りたくて、そのために男の人と何回か寝た。私は、これが恋だ、恋なんだって一生懸命に思い込もうとした。けれども本に出てくるように、心が揺さぶられたり、魂が点滅するようなことは一度も起こらなかった。

それどころか、私は相手の男の人から罵《ののし》られたわ。自分はもてあそばれた、捨てられたってね。ひどい女だとか、男のことを馬鹿にしているのだって言われて私は傷ついた。恋というのはみんなが味わう感情で、それを知らない人間というのは、皆の仲間に入れてもらえないのだ。それどころか愛を渇仰《かつごう》し、時々は饑《う》えたふりをしなければ、友情も得られないんだ。

そんな時、今の夫と知り合った。奥さんに裏切られた彼は、私と違う意味でとても傷ついていた。

「ぼちぼち二人でやっていこうよ」

と彼は言ってくれたの。

「君が本当の大人になるまで僕は待つよ。でもすぐに結婚しよう。その前に他の男にさらわれるのは嫌だからね」

そして私たちの、皆から見たら奇妙な結婚生活は始まった。私が何をしようと、どこへ行こうと夫は許してくれた。なぜなら私の性格を知っているから。どんな男にも心を惹《ひ》かれないのを知っているからだ。そしてそういう妻を他の男に見せびらかしたい、という気持ちも夫としてあったと思う。

私がうんと夜遊びをして、そして身持ちを固くしていることに、夫はたぶんおかしな喜びを持ち始めたと思う。

けれどね、私の憧《あこが》れは消えなかった。それは、

「一生に一度でいいから、本当に男の人を愛したい」

という思いだった。そして私はある日考えたの。また試してみようと。私はもう若い女の子とは違う。人妻なのだ。この大きな足枷《あしかせ》が、私の精神を変えてくれるかもしれないと、愚かな私はふと思ったの。

そして相手に選んだのが、あの男だったっていうわけ。けれども相手が今までの男の人と同じように怒ったことに、私はとても驚いた。

「自分の心をもてあそんだ」

もてあそんだ……。私は男の人の心を風船のように、ふわふわと掌《てのひら》で遊ばせたんだろうか、そしてそれはそんなにいけないことなんだろうか。

夫も変わった。あの記事が出て以来、ただの嫉妬深いつまらない夫になってしまった。

そして私はひとりぼっちでこの部屋にいるの。

それはそんなにイヤじゃない。ずっとソファに座ってぼんやりしていると、今まで会った何百人っていう人たちのことは、ぼんやりと遠ざかっていく。毎日テレビに出ているタレントさんもいたし、有名な力士もいた。そして人間っていうのはひとりぼっちなんだなあって、心の底から思うの。私が探し続けていたものは、実は何の意味もないことじゃな

いかって。

この世の中には、ひとりでいることがとても似合う人間がいるのかもしれない。私の外見は、ちょっと人好きするのかもしれないけれども、中身はひとりで生きる強さと頑《かたく》なさと意地の悪さを持っているんだろうってこの頃思うの。

でもね、こんな気持ちを今日は聞いてもらいたくなった。それはエミ子さんから、

「そうよね、あなたは正しいのよ」

って言ってもらいたいからだわ。背中を押してもらいたいのよ。矛盾しているみたいだけれども本当なの。孤独って、とても勇気がいるものだっていうこと、知ってた?

第八話

日花里

鈴木日花里《ひかり》は、在日韓国人二世である。

「とんでもない金持ちの娘がいる」

と、友人に紹介されてもう五年になるだろうか。

彼女の実家は大阪にあって、パチンコ店のチェーン展開や貸ビル業をしているという。ここまではよくある金持ちのレベルであったが、先見の明があった日花里の父がＩＴ関連の事業を興し、財産はそれこそケタ違いにはね上がったそうだ。

「信じられないくらいの額の仕送りがあるみたい。それどころかね、親のカードを持たされていて、本当に遣いたい放題みたいね」

その友人はファッション関係のプレスをしているのだが、私たちの業界で日花里ちゃんの存在は半端じゃないのよと力を込めて言ったものだ。シーズンに先がけての受注会にやってきては、百万単位の買物をしていく。フランスブランドのオートクチュールをつくるために、ぶらっとパリへ出かける。ホテル・ブリストルで二週間ぐらい滞在してくるのだ。

「日本でもあんなコがいるのよね。まだ二十四、五なんだけど、そりゃあすごい贅沢《ぜいたく》を知ってるのよ」

それで美人なの、と私は尋ねたものだ。それだけ洋服にお金をかけられる女が、醜かったりしたらそれこそ悲劇か喜劇になる。

「わりと可愛いコよ」

その友人は言った。

「目が大きくってね、透けるような綺麗な肌をしているの。あれでもう少し背丈があったら言うことないんだけどね」

そのすぐ後、実際に会ってみたらなるほど小柄だった。これではせっかくのブランドも、かなりあちこち縮めなくてはならないだろうと私は思ったものだ。

何かのコレクションを見た帰りだと思う。その友人の他に二人いて、五人のグループで飲んだのであるが、日花里の酒の強さはたいしたものだった。ワインを勝手に注文し、そのほとんどを飲み干したかと思うと、今度はウィスキーに手を伸ばした。

会ったばかりの時は、単なるおしゃれな女の子に見えた日花里であったが、酔うほどに殻を脱ぎ捨てていくかのようになる。実際に着ていたジャケットも脱ぎ、晩秋だというのにノースリーブのニットになった。ニットといっても、シルク入りの大層高価なものだということはひと目でわかる。

スカートは今シーズンのヴァレンティノであった。よく雑誌に登場した今年の目玉商品である。革に凝《こ》ったビーズの細工がしてあるもので、確か五十六万円という値段がついていたと思う。世の中に五十六万円のスカートを買う人間がいるのだろうかと私は感心したものであるが、実際その人間が私の隣りに座ったのだ。

酔っぱらった日花里は、テーブルの下で靴を脱ぐ。ヴァレンティノの靴は、どうやって歩くのだろうかとため息が出るほど、細い細いピンヒールであった。けれどもこういう靴は、行儀悪くテーブルの下で脱いでも女を美しく見せる。これほどきゃしゃな靴を履く女の足も、体のすべてがきゃしゃで愛らしいと見た人に思わせるのだ。薄いストッキングを透かして、ルビィ色にペディキュアされた足の爪が見えた。

私はつくづくわかったことがある。これほど贅沢なものが集まると、貫禄《かんろく》などというものではなく女ははかなげに頼りなくなっていく。そのはかなさは性的といってもいい。着ている女を、侍女たちにかしずかれる病身の姫君のように見せるのである。

ちょうど自分たちの出た学校の話になった時だ。日花里は誰でも知っている名門校の名を挙げた。へぇーと驚く私の心の内がわかったのだろう、彼女は髪をかき上げながらこんな風に言った。

「在日でもね、お金がありさえすれば、ちゃんと入れてくれるのよ。あんな気取った学校でも、やっぱりお金持ちが好きなの」

その口調がさらりとして自然なので、私は彼女に好意を持った。私は偏見というものを持たないつもりであるが、相手がやたら自虐的だったり暗かったりすると、やりにくいことは確かだ。私はその後、日花里とかなり親しくなり、こんなことも聞いてみた。

「あなたの世代だと、もう差別やいじめはないんでしょう」

尋ねながら自分でもないわけはないと思った。ふつうの子どもたちでも、ささいな違いを見つけてはいじめられるこの現代の日本で、日花里のような娘が無事で済むはずはない。綺麗ごとの質問をしながら、私はなんというおためごかしのことを口にするのかと心が痛んだ。こうしながら、私は日本人として贖罪《しょくざい》をもするつもりになっている。

「そんなのあるにきまってるじゃん」

日花里が明るく答えてくれたのが救いだった。

「私ね、高等部卒業するまでずうっと在日だっていうこと隠してたの。あのね、うちの親はすごく見栄《みえ》っぱりで私をあの学校に通わせるのが夢だったのよ。だから大阪の高校じゃなくて、あそこの学校を受験させて、近くにマンションまで買ってくれたの。そこまでしてくれたから、誰も私のこと知らないしさ、別に言うこともないと思ってたんだけど、卒業の時に私の本名をちらっと明かしたのよ。金由姫っていう、本当に平凡な、いかにも韓国人っていう名前。でもね、それを言ったとたん、仲のいい友だちもさっと退《ひ》いたのよ。今までどおり仲よくしようとしているんだけど、どこかぎくしゃくしているのがわかるの。私、考えちゃった。みんなにここまで気を遣わせるならば、別につき合ってもらうこともないんじゃないかって。でもさ、ま、そんなに悲惨な話じゃないわ。大学もちゃんと行っていたし」

大学生になったら別の遊び友だちが出来た。そう売れていない俳優やカメラマン、スタイリストといったグループだ。

彼らに、在日、ということを打ち明けると、

「どうりで金持ちだと思ってたぜ」

という屈託のない反応があった。彼らが別に進歩的だとか、心が綺麗とかいうわけではない。ただ運や人気といったものに左右される彼らにとって、在日などということはさほどハンディには思われないのだ。それよりも金のないこと、運に恵まれないことの方が、はるかにつらく苦しいことのように思われるからだろう。

「だからね、私、昔からちょっとおかしな連中とつき合っているんだけれども、本当に駄

目なの」

日花里は目を伏せる。くっきりした目は、アートメイクによってアイラインがほどこされている。大金をかけ、信じられないような痛みに耐え、睫毛《まつげ》の内側に入れ墨をしているのだ。

「駄目って何が駄目なの」

「男運がないってことじゃないかしら」

昔から自分はかなりモテてきた方だと思うの、と日花里は言った。すぐ口説《くど》かれるし、友だちの彼から迫られたこともある。

「だけどね、私って男の人といつも長続きしないの。本当にひどいの。せいぜいもって半年っていうところなのよ」

「それはさ、男の方がお金めあてとか……」

「ひどいわ、そんな言い方」

日花里は本気で怒った。

「おばさんじゃあるまいし。お金めあてで寄ってこられるようになったら、女もおしまいよ。それにさ、みんなうちの父がどんな仕事をして、どのくらいお金があるか知らないうちに近づいてくるのよ」

「あなたのお父さんがどういう仕事をしているか知らなくても、あなたの格好見れば普通じゃないってわかるわよ」

日花里はロエベの新作のスーツを着ていた。それは濡《ぬ》れた栗《くり》のような色をしていて、胸のところが大きく割れていた。そしてバッグは大ぶりの茶色のバーキン。指にはヴァン・クリーフとおぼしき花の形をしたダイヤが飾られていた。初めて会った時もそうだが、日花里は革の服が好きだ。若いのにゴージャスな雰囲気を漂わせている自分に、革の服はぴったりだと思っているのだろう。若いのに金をかけ過ぎているきらいがあるが、そうした服は確かに日花里によく似合っていた。

「だからイヤなのよ」

日花里は拗《す》ねたように言う。

「私ね、男の人にいっぺんもおごったことないわ。プレゼントしたこともない。出来るだけお金を遣わせてやるの。男にお金を遣うなんてことは絶対にしちゃダメだって。これはうちの家訓なのよ」

ずっと以前酔った時、日花里はこんな話をしてくれたことがある。終戦直後、日花里の祖父と父はボロボロの船に乗って密航してきたそうだ。縁者が日本にいることはいたが、それこそ無一文で商売を始めた。

「その頃、うちの父たちは朝鮮籍だったの。その方が商売がやりやすかったみたい。でもね、途中からいろんなことがあって韓国籍に変わったのよ。だから大変だった。父が韓国に出かける時は、私服の警官が付いてきてくれたのよ」

それだけ大物ということらしい。この父親は三人兄弟の最後に、ぽつりと出来た日花里を大層可愛がり、子どもの時から欲しいものは何でも買ってくれた。

「これだけ金のある家に生まれたんだから仕方ない。そんな風に育てるしかないじゃないか。別に無理して普通ぶることはない」

というのが父親の口癖だった。月々カードの明細書が両親のところへ行く。すると母親は眉をひそめるそうだが、父親は喜ぶという。

「これだけ豪気な遣い方をするのは、男でもちょっといないだろう」

という言葉を聞いて、私は呆《あき》れるどころか感心してしまった。こんな風に娘を育てられるというのは、たいした自信だ。

「そのパパが言うの。自分に金を遣うのは構わない。いくらでも遣え。だけど男に金を遣っちゃいけない。コーヒー一杯だって駄目だ。そんなことをすれば、お前はなめられるだけなんだって」

日花里は言う。以前まあまあ売れているカメラマンとつき合ったことがある。しばらくたつうちに、彼は自分のマンションに入り浸るようになった。そりゃそうだろう、広尾にある三十坪のマンションは、新築で内装も凝っている。両親とイタリア旅行した時に買った家具で統一している。ひとり暮らしにはもったいないような部屋で、このご時世にとんでもない家賃をとる。最初は買う予定でいたのだが、これ以上不動産を増やすこともないと父親が言ったのだ。それに住むところはいつ飽きるかわからない。いつでも引越し出来るようにと賃貸にしたのであるが、とにかく贅沢で広い部屋である。

日花里の恋人は当然のようにここに泊まるようになり、食事を要求したというのだ。

「冷蔵庫を勝手に開けて、ビールなんか飲むようになったの。ワインセラーから、当然のようにマルゴーを取り出した時はカッとしたの。どうして私、タダでこの男をここに住まわせてやらなきゃならないの。最後には、どうしてこの男とタダでセックスしなきゃならないのかしらって思うようになった。これじゃ、私、宿泊施設と食事がついた娼婦《しょうふ》みたいなもんじゃないかしら」

「ああーあ」

私は声をたてて笑った。

「そんな考えじゃ、到底恋なんか出来るわけないわね。損した、タダでしてる、なんて思っているうちは本気じゃないのよ」

「よく皆からそう言われるわ。でもね、金を持った家に生まれて、父親からいつもうるさく言われてたら、誰だってそういう気持ちになるわよ」

日花里は決して吝嗇《りんしょく》な女ではない。仲間うちで飲む時は気持ちよく割りカンにするし、年上の私に対しても、

「今日は気分いいから払わせて」

と伝票を奪う時もある。その彼女がどうしてあれほど、男と金については頑《かたく》ななのだろうか。

「一度、手ひどいめに遭ったことがあるんじゃないかな」

と言う女がいた。

「プライドの高いコだから言わないけど、うんと若い時に、好きな男にたかられたことがあるんだよ。そうでなかったら、あんなに神経質にキリキリすることはないと思うな」

日花里の生いたちは彼女から聞くだけであるが、決して平坦《へいたん》なものとはいえないだろう。難民同様に海を渡ってきた祖父たちが、すごいスピードで大金持ちになっていくのだ。そこからひずみや影のようなものが出来なかったかと私はぼんやりと想像する。そうすると日花里の華やかな容貌《ようぼう》というのは、隠花植物のようなおもむきを持ち、私はさらに彼女に興味を抱くのだ。

世の中に、こういう娘はいったいどういう恋をするのだろうかと、知りたくてたまらなくなる女が何人かいる。同じ若い女でも、絶対に医者や難のないエリートを選ぶだろうなと思われる娘も多く、確かにそのとおりになる。こういう娘に対して、私は全く関心を持たない。欲望や計画があまりにも単純過ぎて、つまらない女たちだと思う。けれども激しく私の興味をかきたてる若い娘たちが、時たま出現することがある。

私は彼女たちから、相談ごとともいえない告白を聞いたりするのが好きだ。そして私はよく茶々を入れ、彼女たちをたしなめたり、冷やかしたりする。それは決して忠告ではない。

何かに向かって走ろうとしている人間に、どうして忠告など出来るだろう。そんなことをしても全く無駄だ。若い女の人生を、いったい誰が修正したり、たわめたり出来るだろう。だから私は眺めるだけだ。私はそれほど年もとっておらず、意地も悪くない。けれど眺めるのは好きだった。

そう、好奇心と少々の愛情をもって、私は何人かの女の子たちの傍観者となってきた。日花里の場合も、私はただの見物人で終わるはずであった……。

日花里が男に入れ揚げていると聞いたのは、暑い暑い夏が終わった頃だった。私は友人に誘われ、夏を北海道の田舎《いなか》で過ごしていた。全く観光地化されていない本当の田舎で、私たちはバイオリンをつくっている男のアトリエを借り、一ケ月近くを過ごしたのだ。こういうへんぴな場所で、こつこつ木を削っている男は変わり者に決まっているが、初めて会った彼も本当にそうだった。けれどもおとなしく優しい変わり者で、奥さんに逃げられた後は、自給自足の生活をしていた。畑に野菜をつくり、近くの酪農家から分けてもらった牛乳で、チーズやヨーグルトもつくるのだ。

若い頃、イタリアで修業をしていたという彼は、料理も大層うまい。ハーブを使ったサラダやパスタは、レストランを開いてもいいほどの味だった。彼は毎晩私たちに、明日の朝ごはんは何がいいかと尋ねる。パンがいいと言うと、カフェオレと目玉焼き、サラダといった朝食になる。和食がいいと言うと、炊きたてのごはんに味噌汁、何種類かの漬け物という結構な朝ごはんが並べられた。献身的に尽くしてくれるホストがいる、こんな結構な家に長逗留《ながとうりゅう》出来たのには理由がある。一緒に行った女友だちと、このバイオリンづくりの男とはかつて同棲《どうせい》までしていた仲だったからだ。

彼女は言う。決して嫌いで別れたわけではない。

「ただ向上心がないのには、ちょっとついていけないと思っちゃった。まるっきり儲《もう》からないバイオリンを、ずうっと作っていくっていうのよ。そしてわかったのよ。あの人ね、貧乏が好きなの。たまにいるのよ、いわゆる〝清貧〟っていうのに憧《あこが》れているのよ」

〝清貧〟という言葉は、意外にも強く私の心をうった。東京で聞いたならともかく、この澄みきった空気の中、本当にそういう風に生きる人を見たからかもしれない。

なるほどそういう生き方もあるのだ。あまりにも金を持った家に生まれたため、男を信じられない若い女もいれば、貧しいことに美学を求める男もいる、まあ、どちらも相手に恵まれず独りでいることを思えば、たいして差がないのかもしれない……などととりとめのないことを考えていた頃、私の携帯電話に友人からのメールが入った。どうということのない噂話《うわさばなし》が、ふたつみっつ書かれていた。

「ところで日花里が、とんでもない男にぞっこん、という話です。売れない役者、というから笑っちゃうじゃありませんか。男に金を遣わないことをモットーにしている彼女が、果たしてどれだけ金を貢ぐんでしょうか」

ふうんと私はつぶやいた。このトウモロコシ畑と牧場しかない村にいると、そんなことはどうでもいいような気がしてきたのだ。今日は朝から、男を手伝って畑の雑草取りをしてきた。日中は本を読んだり気ままに過ごしていたのだが、男のあまりの接待ぶりに、多少気が咎《とが》めて畑仕事に手を貸すようになった。早起きをし、夜は疲れて早々に寝てしまう。

そんな私にとって、誰と誰がつき合っている、などという話は、遠い世界のことのように思われた。

窓の外を眺める。私の友人とバイオリンづくりの男とが、テラスでお茶を飲んでいるところだった。

男は瘦《や》せて顔が長いうえに、顎鬚《あごひげ》をたくわえているので、ますますヤギそっくりに見える。白髪まじりの髪を後ろで結っているという、一見無造作な様子をしているけれども、そこに彼の〝芸術家〟としての矜持《きょうじ》が表れている。私の女友だちは四十半ば、男と女の生ぐさざなどとうに無く、まるで茶飲み友だちのような二人だ。こんな仲もあるのだなあと、私は目をやる。そしてふと日花里のことを思った。男と女はいろんな組み合わせがある。愛し合い、いたわり合って満足している、などというカップルは本当に少ないのだ。だから日花里が少々変わった相手を好きになったとしても、何の不思議なことがあるだろう。たぶん彼女が少しずつ大人になった証《あかし》なのだ。

しかし私のこんな呑気《のんき》な感慨は、東京に帰って打ち砕かれることになる。日花里が、今大変なめに遭っているのだと、メールを送ってきた友人は言う。

「ほら、DV男っていうやつだったのよ。やたら暴力をふるう男……」

「まさか」

「本当なの。何人かの人が見てたのよ。二人でいつもの店にやってきてね。その男っていうのがすごく飲むんだって。半端な飲み方じゃないみたいよ。それで日花里が、もう帰ろうって言ったら、怒鳴って髪をつかんだんだって。うるさいって言ってね、それから頰《ほお》をひっぱたいたって言ったわよ」

「それで日花里はどうだったの」

「それが驚くじゃないの。反抗もしないでじっと耐えてたって言うのよ。あの気の強いわがまま娘が、言い返しもしなかったんだって。よっぽど惚《ほ》れてんだってみんなはびっくりしているみたい」

にわかには信じられない話であった。日花里は以前からよくもてた。男運がないと自分では嘆いていたけれども、まわりにはたえず何人かの魅力的な男がいた。心を打ち明けられたこともひとりやふたりではなく、日花里は選択する立場だったはずだ。それなのによりによって、どうしてそんな男とつき合っているのだろうか。

「ちらっと見たことがあるけど、確かにいい男よね。かなりのレベルじゃないの」

友人は言う。大手のアパレルメーカーのプレスをしている彼女は、遊び人として通っていて、夜の世界にも精通している。その彼女が断言するのだから間違いないだろう。

「でもそんなことよりも、セックスがよっぽどいいんだろうって、みんな言ってるわ」

彼女は別に下卑た笑いを浮かべるわけでなく、さらっと口にした。

「セックスがものすごくよくって、それで日花里をがんじがらめにしているんだって。そう言えばあのコって、ちょっと病的なところがあるもんね」

「病的ねえ」

その言葉は意外であった。確かに日花里にはふつうの女の子と違うところがある。過剰さが見え隠れし、自分でもそれをもて余し、苛立《いらだ》つことがあった。けれども病的という表現を使われるほど、それが陰性だと思ったことはない。

「あんまり彼女は言わないけど、やっぱり在日ってことで、いろいろつらいめに遭ってきたんじゃないかしら。日花里みたいに大金持ちの娘だと、かえっていろいろあったみたいよ」

友人はこんな話をしてくれた。日花里と大学時代一緒だった女がいる。その女によると、日花里は完全に浮いた存在だったそうだ。金持ちの子どもが集まる学校といっても、そこは大学生だ。身のまわりのものにはおのずから限界がある。けれども日花里はそういうことに挑戦するように、派手で金目のものを身につけていたという。

ミス・ディオールやヴァレンティノといった洋服をとっかえひっかえ着て、ピンヒールで闊歩《かっぽ》する。車による通学は禁止なのに、堂々とベンツを近くの駐車場に置いていた。

「芸能人や業界男とつき合ってて、よくそっちのパーティーへ行ってたらしい。とにかく別世界の人だった、って同級生の彼女は言ってるけど、なんか日花里って、ふつうじゃないところがあるわよね。それって生まれた環境があるんじゃないかしらね。在日のコに、時々ああいうエキセントリックなコがいるらしいの」

私は在日ということで、こういう風にひとくくりにする考え方が好きではない。別にいい人ぶるわけではないけれども、強い個性を「在日だから」とすぐ納得するのは、つまらない区分けの仕方だ。日花里は、もっと複雑で面白いところがある。自分を醒《さ》めた目で見て、別の人のように突っ放して意地悪をしたり、からかったりするあのパーソナリティは、彼女だけのものだ。在日の人すべてが持っているものではないだろう。

そこまで賢い日花里が、どうしてそんな男を愛してしまったのだろうか。男に金を遣わないことを課してきた日花里が、その男には言いなりになっているという噂は本当なのだろうか。

一度こちらから連絡しようと思いながらも、何とはなしにためらっているうち、日花里から電話がかかってきた。

「どうしていたの。随分ご無沙汰《ぶさた》だったじゃないの」

男のことは、あちらから言い出さない限り黙っているつもりだった。

「元気よ、もう絶好調っていう感じ。あのさ、聞いてるかもしれないけど、私、新しい彼が出来たのよ」

「そうなんだってね」

「今までの男と違って、メチャわがままなんだけど、それでも許せるっていうか、かわいいっていうか、我ながら変わったと思う」

日花里の口調は明るく、決して無理をしているようには聞こえなかった。

「そりゃあ、よかったね。本当に好きになった男が現れたっていうことは、日花里ちゃんにとって大収穫だよ」

「うん、私もそう思うんだ。それでね、彼といっぺんご飯を食べて欲しいの。それに私、エミ子さんにちょっとお願いごとがあるの」

「それって何。まさか仲人をしろっていうことじゃないわよね。私は駄目よ、独身だから」

日花里の明るさにつられて、私もおどけた言い方をする。

「ううん、そんなことじゃないの。仕事関係よ。それは会った時に話すわ」

そして彼女が指定してきたのは、代官山にある老舗《しにせ》のフランス料理店である。目の玉が飛び出るような高級ワインがリストに載り、料理自体も高いところだ。そこの個室をとったという。おそらく日花里は常連なのだろう。金の力というのは凄いもので、名だたる名店のスタッフが、小娘ともいえる年齢の日花里に礼を尽くしているのを何度も見た。それを鼻であしらうというのではないが、日花里はごくあっさりと応える。無愛想といってもいいぐらいだ。子どもの頃からたくさんこういうところに出入りし、ふんだんに金を遣う親を持っていないと出来ない態度だ。私は日花里を見るたび、一人の人間の性格に金がいかにかかわっているかを思い知らされるのだ。その日花里が言う。私も変わったもんだと思うわ。そこまで彼女を変えた男ならやはり会いたくなるではないか。私はスケジュール帳を見た。その夜は編集者と軽く打ち合わせをすることになっているが、動かせないことはないだろう。

「じゃ行くわ、必ず」

必ずという言葉に力を込めて私は電話を切った。

約束の七時少し前に、レストランの扉を開けたのだが、日花里と恋人は先に来ていた。ウェイティングバーのカウンターに座っていた男は、人が噂するとおりの美男子であった。

「井上辰也《たつや》っていいます」

日花里が嬉《うれ》し気《げ》に紹介し、辰也という男はバーのストゥールから腰をあげた。それは礼儀正しさというよりも、年上の女に向かい、これだけサービスしてやっているのだというデモンストレーションのように見える。が、それほど嫌な感じはしない。二十七、八といったところか。この年齢のハンサムといわれる男にはありがちなことだ。ましてや俳優などという仕事をしていたら、このくらいの自己顕示とプライドの高さはふつうだろう。

やがて黒服の店長がやってきて、席が用意出来たと告げた。日花里は私を上座に据え、自分たちは向かい側に座った。こういうところはよく気がつく娘だ。

「まずはシャンパンで乾杯しましょうよ。エミ子さんと久しぶりに再会したんですものね」

そして辰也の方に向かって説明する。

「エミ子さんは、この夏中ずっと私たちの前から姿を消していたの。東京から逃げちゃったのよ」

ふうんと、彼は全く興味を持たないことがわかるあいづちをうった。

「仕方ないわ。もう私ぐらいの年になるとね、とても東京の夏は耐えられないの。涼しいところまで行かないと、とても体がもたないのよ」

いつのまにか、自分まで媚《こ》びた口調になっていることに気づいた。目の前の男の機嫌をとろうとしているのである。

全く楽しそうにしていない女、ごく美しい女に限るが、そういう相手に対して男はいつしかエネルギーを注ぎ込んでいく。別に関心をひこうとか、好意を持ってもらおうと思っているわけではない。ただその女を一瞬でもいいから、快活にさせてみたいだけなのだ。

が、反対にそうした気を遣わせる男がごくたまにいる。辰也がそのひとりだ。彼は私と日花里のやりとりを黙って聞いている。形のよい薄い唇は、不機嫌そうに下がりはしない。そうかといって上がりもしない。これ以上出来ないほど水平に結ばれている。切れ長で日本的な顔立ちと友人は言っていたけれども、どこかで見たことのある武者人形のような顔立ちだ。それでいてどこかモダンなところを漂わせているのは、凝った髪型のせいだろう。短かくカットされた髪は、今どき珍しく染められていない。軽くシャギーの入った前髪が垂れていた。綺麗な骨格でなかったら、絶対に似合わない髪型だろう。

辰也は黒いシャツに白麻のジャケットといういでたちだが、高価なものだとひと目でわかる。おそらく日花里が買ったものであろう。

日花里は喋《しゃ》べり続ける。辰也は今まで劇団に所属していた。二十年前に学生演劇から発展したもので、当時はサブカルチャーの旗手のようにもて囃《はや》されたものだ。私も一度か二度本多劇場に観に行ったことがある。

「それがね、今じゃとんでもないことになっているのよ」

日花里は唇をゆがめた。男の怒りはそのまま自分の怒りと言わんばかりだ。

「岡崎裕一《ゆういち》って」

劇団の主宰者で、演出家であり劇作家で俳優の名を挙げた。

「まるっきりの儲け主義になってしまって、ろくにお芝居のことなんか考えてないのよ。自分はテレビに出て、いっぱしの文化人ぶってる。そのくせ芝居の主役は若い人に譲らない。そんなわけで辰也は、あの劇団を出てしまったというわけ。何人もの仲間も一緒よ。辰也が出ていくなら、自分たちも出ていくって言ったわけ」

「そうなんですよ」

初めてここで辰也が、長いセンテンスの言葉を口にした。いかにも舞台をやっている者らしい、低くていい声だ。

「自分だけ出ていくつもりだったんですけど、どうしても連れていってくれ、っていう連中がいて」

「なんかさ、辰也ってリーダーの素質がある人なの。岡崎裕一の劇団なんかで傍役《わきやく》やっちゃいけない人だったのよ」

得意気な日花里の話は続く。辰也はこうした仲間と劇団を結成し、この暮に旗揚げ公演を行なうことにした。台本も演出も辰也が手がける。

「だってね、岡崎裕一って、辰也の書いたもの何度も横取りしているのよ。それで批評家たちに誉《ほ》められてるんだから、ひどいわよねぇ。岸田賞を貰《もら》った『へのへのもへ爺《じ》い』だって、本当は辰也が書いたものなんだから」

にわかには信じられない話だ。私は雑誌やテレビで時々見かける岡崎裕一の顔を思い出した。八〇年代、サブカルチャーの寵児《ちょうじ》と言われた彼も、中年といわれる年齢になっていた。けれども才気の走る鋭い目や、諧謔《かいぎゃく》に充《み》ちた愉快な語り口調は少しも変わっていない。その彼が下っ端の俳優の書いた台本を奪うとは、到底信じられない話だ。

おそらく辰也は、恋人にいい顔をしたいのだろう。このくらいは許されるべきだろうと私は判断した。

やがて料理はメインにさしかかろうとしていた。仔羊《こひつじ》を使った料理であるが、羊は苦手とかで、辰也は特別に牛にしてもらっていた。新しいグラスに赤いワインが注がれる。日花里が選んだもので、ロートシルトという文字が見える。

日花里はベイエリアにある劇場の名を挙げた。実験的なものをかけるところとして有名なところだ。劇を上演するのにいくらかかるかわからないが、ポスター代やパンフレットといった宣伝費も入れれば百万や二百万では済まないだろう。それを日花里はすべて負担するつもりなのか。かつて自分の家のワインを黙って飲んだ男がいると憤《いきどお》っていた女が、この男のためなら大金を出すのが平気なのか。

「エミ子さんに今日、お願いがあって来たの。その時のポスター、エミ子さんが描いてくれないかしら。ついでにいろんなマスコミの人を紹介してくれたら嬉しいんだけど」

「いいわよ。その代わりギャラはちゃんといただくわ」

とっさに口をついてこんな言葉が出た。イラストを描くのが私の本業であるが、時には頼まれてよく「お友だち値段」になる。場合によっては無料《タダ》でやらされることもあった。けれども目の前の、この二人に対しては何かそんな好意は虚《むな》しいもののように思えたのだ。自分の女に金を出させ、自分の夢を果たそうとしている男。それに嬉々《きき》として従う女。まるで安手のドラマに出てくるような二人に、何か冷たいものを投げつけたくなったのだろう。

「いいわ、ちゃんと払うわ」

日花里は胸をそらすようにして応える。金を持っているものでなければ不可能なふてぶてしさであった。

「とにかく、私、このお芝居をちゃんと上演させてみたいの。今、それが私のいちばんの夢なの」

その間ひと言も発していない男は、ウェイターを呼びつけ、同じワインをもう一本と平然と言った。

クリスマス前にその芝居は上演された。ワンルームに住む若い男のところへ、テレビゲームのキャラクターたちが、次々と登場してくるというストーリーである。私は未だかつて、これほどつまらない芝居を観たことがなかった。吹き出したくなるほど空疎なセリフが続くこともさることながら、主演の辰也が最悪だった。ちゃんと発声が出来ていないのを誤魔化《ごまか》そうとするように、やたら声をはり上げる。せっかくの美貌もこれだけヘタだと、間が抜けた中身のないものに見えるから不思議だ。

一幕目まではなんとか辛抱したが、休憩のあかりがついた時、もうこれ以上耐えられないと判断した。同じようなことを考える人も多く、六分の入りの客の何割かは、そのまま出口へ進んでいく。

「エミ子さん、帰っちゃうの」

その声に振り返ると日花里だった。ジーンズにジャケットといういでたちだ。おそらく裏方に徹するつもりなのだろう、化粧も地味にしている。

「悪いけど、こんなつまんないお芝居に二時間もつき合っていられないわ」

「そう言わないで。二幕目からすっごく面白くなるのよ」

立っている私たちの前を、出口へと歩く客が何人も通り過ぎる。

「ああ、ひどかった」

と声に出す者もいて、私は、このまま帰るのに気がひけてしまった。そうかといって席に戻る気はまるでない。私は仕方なくロビィのソファに座り、日花里もその傍《そば》に座った。

「いったい幾ら遣ったの」

「五、六百万っていうところかしら。でも彼だって少し出したのよ」

「そのお金はどうしたの。まさかパパに泣きついたっていうわけじゃないでしょう」

「まさか、生前贈与してくれていた株があったからそれを売ったの」

「だけどひどい芝居だよね。あなたの恋人って、俳優としてもダメだけど、創り手としても芽はないね、まるっきり」

「そこまではっきり言わなくてもいいのに」

やがて開幕を告げるベルが鳴り、ロビィにいた人々ものろのろと席に戻り始めた。が、私は立ち上がらない。日花里もソファに座ったままだ。しばらくするうち扉を通じて、辰也の声が聞こえてくる。

「僕はわかったのさ。君たちのいる世界と、こっち側の世界とじゃ、たいして差がないってことをさ」

ねぇ、と私は言う。

「そんなにあの男に惚れてるの」

「わかんないけど、どっか離れられないの。たぶん辰也は私の父にそっくりだからじゃないかしら」

日花里は目を伏せて喋べり始める。

「そうさ、本当は僕たちの世界がまがいもので、バーチャルなのかもしれない」

辰也の声。

「うちの父って、ものすごいワンマンなの。祖父から引き継いだ事業を自分の手で大きくするプレッシャーもあったのかもしれない。あのね、韓国の男は激しいけれども、うちの父は特にすごいわ。気にくわないことがあると物は投げるし、家族に乱暴をする。私なんか小学生の時には、髪をつかんでひきずりまわされた。金はたっぷりやってんだから、後は何をしてもいいだろうっていう男。そんな父親が殺したいほど嫌いだったのに、今度初めて似た男とつき合ったら、何か心の中でホッとしてるの。叩《たた》かれたりすると、やっぱり私はこういうのが似合ってるって思うの」

「ドメスティック・バイオレンスの被害者の、典型的な心理よね。でもあなたがそんなにくだらない女だとは思わなかった」

また辰也の声がする。

「僕はね、ずうっと自分のことがわからなかった。あたり前さ、自分のことがわかってる人間がいったい何人いるっていうんだよ。人は誰かに教えてもらうまで自分のことがわからない。それを教えてくれたのが君たちなんだ」

あのねと日花里は言って、扉の方をぼんやりと見る。

「父は今、癌《がん》と闘ってるの。怪物みたいに気丈な人だから、生きるためには何でもしてる。最高の医者、最高の薬を求めて歩きまわってる。でももう長いことはないと思うわ。私、大っ嫌いで死ぬほど憎んでたのに、パパがいなくなると思うと怖くてたまらないの。体がガタガタ震えそうになるの。パパがいなくなるってことに耐えられそうもないのよ」

「私さ、心理学やってたわけじゃないからよくわからないけど、あの男があなたのパパの代わりだとしたら、ちょっと淋《さび》し過ぎやしない。ちょっと安易じゃないの」

日花里は黙っている。ふと「近親相姦《そうかん》」という言葉が頭をよぎったが、決してまがまがしいイメージではない。たぶん日花里がこの世でいちばん寝たかった男は、父親だったのだろう。そういう女の子は決して少なくない。

「この芝居を観て、失望しなかったとしたらあなたは大馬鹿者だよ。男の夢は自分の夢って思うのはいいけど、絶対に実ることのない夢だよ。それでもいいっていうならついていきなよ。だけどあなたのお父さんは絶対に喜ばないと思うけどね」

　四日後、夜の十一時にマンションのインターフォンが鳴った。モニターテレビを見ると背の高い男が映っている。

「こんばんは、井上です」

　青白く平べったく映る辰也の顔があった。

「あの、日花里から届け物があるんですけど、受け取っていただけますか。生ものみたいなんですけど」

　その時嫌な予感がして、私はセキュリティのリモコンをジーンズのポケットにしのび込ませた。うちのマンションは建物ごとセキュリティ会社と契約していて、一戸ごとにリモコンを持たされているのだ。緊急ボタンを押すと、警備会社のガードマンが駆けつける仕組みだ。

　やがてドアのブザーが鳴った。ダッフルコートを着た辰也が、にこにこしながら立っている。私は用心してドアを半分開けた。

「もう遅いから、ここで受け取るわ。さあ、日花里ちゃんからのものを頂戴《ちょうだい》」

「なにを、このババァ」

　いきなりドアが開いたかと思うと、次にすさまじい音がして閉まった、私が五、六歩後ずさりした分、辰也が中に侵入していた。靴をはき、コートを着たままでだ。

「余計なことを言いやがったな、オレの芝居を観て、失望しなかったら馬鹿だと。芝居のことなんか何ひとつわかりゃしねぇくせに。お前のせいでだなあ、日花里はオレと別れるって言ってんだ」

「あたり前でしょう」

私は叫んだ、年上の女として精いっぱいの威厳を保つため、声を張り上げた。

「自分にそんな価値があると思ってるの。さあ、出ていきなさい。声をあげるわよ。警察が来てもいいの」

「最初からいけすかない女だと思ってたんだよ。本当にイヤな女さ。余計なことばかり言いやがる」

辰也から強いアルコールのにおいがした。そういえば、おとといが千秋楽だったと私は思い出す。

「さぁ、謝れ、オレに手をついて謝れ」

「出ていきなさい。あんたみたいな若造を私は怖がったりしません」

その時、私の頰に光のような熱さが走った。辰也が私を殴ったのだ。そして彼の手は私の首にかかっている。激しい恐怖が私を襲った。

「芝居がうまくいかなかったやつあたりを、私にするのはやめなさいよ、さあ、手を離すのよ」

「お前みたいな女は死ねばいいんだ。お前みたいな人間ばっかりだから、オレは邪魔されるんだよ」

私は首を絞められたまま床に倒れた。私は足を思いきりけり上げて抵抗する。が、若い男の腰は硬くびくりともしない。意識が遠ざかる寸前、ドアが開く音がした。どうしたんですというガードマンの声。倒れた拍子にセキュリティのリモコンが作動したのだ……。

あれから半年たつ。日花里は結婚した。相手はもちろん辰也ではなく、在日の医者だという。大阪で行なわれた披露宴には、車椅子《くるまいす》で父親が出席し、涙を流し続けていたそうだ。父親の傍で日花里は泣いてばかりいたが、それはそれでとても可愛らしかったと人は言う。私は招かれなかったが、心の籠《こ》もったとてもいい披露宴だったそうだ。

初出

小説すばる

二〇〇〇年十月号

二〇〇一年一月号、四月号、七月号、十月号

二〇〇二年一月号、五月号、八月号

この作品は二〇〇三年一月、集英社より刊行されました。

集英社文庫　目録（日本文学）

原田宗典　優しくって少しばか
原田宗典　スバラ式世界
原田宗典　しょうがない人
原田宗典　日常ええかい話
原田宗典　むむむの日々
原田宗典　元祖スバラ式世界
原田宗典　できそこないの出来事
原田宗典　十七歳だった！
原田宗典　本家スバラ式世界
原田宗典　平成トム・ソーヤー
原田宗典　貴方には買えないもの名鑑
原田宗典　大サービス
原田宗典　すんごくスバラ式世界
原田宗典　幸福らしきもの
原田宗典　少年のオキテ
原田宗典　笑ってる場合

林　望　くりやのくりごと リンボウ先生家事を論ず
林　望　りんぼう先生おとぎ噺《ばなし》
林　望　リンボウ先生の閑雅なる休日
林真理子　ファニーフェイスの死
林真理子　トーキョー国盗り物語
林真理子　東京デザート物語
林真理子　葡萄物語
林真理子　死ぬほど好き
林真理子　白蓮れんれん
林真理子　年下の女友だち
林田慎之助　司馬遷
林田慎之助　諸葛孔明
林田慎之助　人間三国志 覇者の条件
林田慎之助　人間三国志 軍師の采配
林田慎之助　人間三国志 豪勇の咆哮
原民喜　夏の花

早坂倫太郎　不知火《しらぬい》清十郎 龍琴の巻
早坂倫太郎　不知火清十郎 鬼琴の巻
早坂倫太郎　不知火清十郎 血風の巻
早坂倫太郎　不知火清十郎 辻斬り雷神
早坂倫太郎　不知火清十郎 将軍密約の書
早坂倫太郎　不知火清十郎 妖花の陰謀
早坂倫太郎　不知火清十郎 木乃伊《みいら》斬り
早坂倫太郎　不知火清十郎 夜叉血殺
早坂倫太郎　波浪島の刺客 弦四郎 鬼神斬り
早坂倫太郎　毒牙狩り 波浪島の刺客
早坂倫太郎　天海僧正の予言書 波浪島の刺客
林えり子　田舎暮しをしてみれば
林　望　音の晩餐
林　望　林望が能を読む
林　望　能は生きている
林　望　マーシャに

集英社文庫　目録（日本文学）

原田宗典　はらだしき村
原田宗典　大変結構、結構大変。ハラダ九州温泉三昧の旅
原田宗典　吾輩ハ作者デアル
原田康子　星の岬(上)(下)
原山建郎　からだのメッセージを聴く
春江一也　プラハの春(上)(下)
春江一也　ベルリンの秋(上)(下)
春江一也　カリナン
坂東眞砂子　桜雨
坂東眞砂子　屍の聲（かばねのこえ）
坂東眞砂子　ラ・ヴィタ・イタリアーナ
坂東眞砂子　曼《まん》荼《だ》羅《ら》道《どう》
坂東眞砂子　快楽の封筒
半村良　闇の女王
半村良　女神伝説
半村良　どさんこ大将(上)(下)

半村良　八十八夜物語①～④
半村良　忘れ傘
半村良　雨やどり
半村良　高層街
半村良　能登怪異譚
半村良　晴れた空(上)(中)(下)
半村良　昭和悪女伝
半村良　講談 碑《いしぶみ》夜《や》十郎《じゅうろう》(上)(下)
半村良　江戸打入り
半村良　ガイア伝説
半村良　かかし長屋
半村良　すべて辛抱(上)(下)
半村良　産霊山《むすびのやま》秘《ひ》録《ろく》
東野圭吾　分身
東野圭吾　あの頃ぼくらはアホでした
東野圭吾　怪笑小説

東野圭吾　毒笑小説
東野圭吾　白夜行
東野圭吾　おれは非情勤
干刈あがた　借りたハンカチ
干刈あがた　野菊とバイエル
引間徹　19分25秒
樋口一葉　たけくらべ
樋口修吉　銀座北ホテル
日高義樹　日本いまだ独立せず
日野啓三　抱擁
氷室冴子　冴子の東京物語
氷室冴子　ターン―三番目に好き
氷室冴子　冴子の母娘草
氷室冴子　ホンの幸せ
姫野カオルコ　A.B.O.AB
姫野カオルコ　愛はひとり

集英社文庫

年下《としした》の女友《おんなとも》だち

2006年1月25日　第1刷

定価はカバーに表示してあります。

著者　林《はやし》　真《ま》理《り》子《こ》

発行者　加藤　潤

発行所　株式会社　集英社
東京都千代田区一ツ橋2—5—10
〒101-8050
電話　03（3230）6095（編　集）
　　　03（3230）6393（販　売）
　　　03（3230）6080（読者係）

印　刷　凸版印刷株式会社

製　本　凸版印刷株式会社

Printed in Japan

ISBN4-08-747899-8 C0193